EL MUNDO DEL FÚTBOL

¡JUEGA COMO UN PROFESIONAL!

Argentina – Chile – Colombia – España
Estados Unidos – México – Perú – Uruguay – Venezuela

Título original: *F2. World of Football – How to Play Like a Pro*
Editor original: Blink Publishing, Londres
Traducción: Antonio-Prometeo Moya Valle

Diseño de la cubierta: Nathan Balsom
Diseño del interior: Leard.co.uk

1.ª edición Noviembre 2017

ISBN: 978-84-96650-10-7
E-ISBN: 978-84-17180-09-6

Depósito legal: B-23.624-2017

Fotocomposición: Ediciones Urano, S. A.U.
Impreso por: Liberdúplex, S.L. – Ctra. BV 2249 Km 7,4
Polígono Industrial Torrentfondo – 08791 Sant Llorenç d'Hortons (Barcelona)

Impreso en España – *Printed in Spain*

Dedicamos este libro a nuestra increíble familia y
a los amigos que han estado ahí desde el principio.
Familia F2

Amor, paz y técnica x

LA APLICACIÓN F2

¡CONSIGUE GRATIS EN PANTALLA LA GUÍA DEFINITIVA DE LAS TÉCNICAS DEL FÚTBOL!

¡Perfecciona tu habilidad con la Aplicación F2! Deja que Billy y Jez te enseñen su increíble muestrario de técnicas y aprende a practicarlas con este exclusivo material digital. Entre lecciones de vídeo nunca vistas, consejos útiles y documentales especiales que pondrán tus botas en movimiento, Los F2 te enseñarán a jugar como un profesional. Cuando hayas puesto a punto tu habilidad, podrás subir tus propios vídeos y compartirlos con Los F2.

Para acceder a todo este material exclusivo, baja la aplicación gratis de iTunes App Store o Google Play Store, actívala y enfoca con la cámara las páginas que tengan el icono telefónico especial de la página de la derecha. ¡Y en tu pantalla aparecerán todos los consejos y documentales especiales de Los F2!

*Para bajar la Aplicación F2 de Los F2 y activarla en teléfonos, iPad y Android, es necesario conectarse a Internet.
Para encontrar enlaces directos con que bajar la aplicación y recibir información suplementaria, visita www.blinkpublishing.co.uk.

¡Escanea ya
esta página
para acceder al
primer vídeo!

ÍNDICE

BIENVENIDOS AL MUNDO FUTBOLÍSTICO DE LOS F2

¡Sí, amigos!

Estamos a punto de compartir la historia de cómo hemos llegado a ser superestrellas del fútbol.

Te haremos conocer nuestra infancia, porque fue entonces cuando nos enamoramos de este maravilloso deporte. Luego te enseñaremos cómo llegamos a jugar en dos grandes de la Premier League, los desengaños que sufrimos y cómo transformamos esos reveses en la energía más positiva que pueda imaginarse, lanzando Los F2 y conquistando el planeta.

Te llevaremos entre bastidores para que husmees en nuestra asombrosa vida y todos juntos nos divertiremos con algunas anécdotas estupendas y no reveladas hasta ahora sobre lo que significa trabajar con estrellas tan alucinantes como Lionel Messi, Mesut Özil, Neymar y Pelé.

¡Y esto es solo el principio! Además, te guiaremos paso a paso para que llegues a ser superestrella del fútbol, te enseñaremos a practicar trucos y estratagemas, y a comportarte como si fueras un profesional.

¿Te gustaría moverte como Neymar? ¿Lanzar tiros libres como Ronaldo? ¿Regatear como Lionel Messi? Nosotros te enseñaremos, dándote directrices muy sencillas.

Incluso hemos añadido una fascinante aplicación de regalo que puedes bajar y que hará que las páginas de este libro se animen con vídeos, consejos prácticos y juegos.

¿A qué estás esperando? Pasa la página, conoce nuestra historia, sigue nuestros consejos, sal al campo y practica. Ya no te puedes echar atrás, vamos a enseñarte a triunfar.

Amor, paz y técnica.

Los F2

CAPÍTULO
UNO

LA HISTORIA DE LOS F2:

EL ORIGEN: BILLY

Billy: Subir al tejado de mi escuela era una auténtica hazaña. Era un edificio de tres plantas. Tenía que trepar por un desagüe para llegar al primer piso. Luego escalaba la pared hasta llegar al techo del pabellón de deportes del colegio. Y así llegaba a mi punto de destino.

¿Qué hacía allí arriba? Buscar balones de fútbol que se perdían. Allí iban a parar los balones cuando los lanzamientos salían desviados o cuando se fallaba un pase largo o un tiro a puerta. Cuando yo era pequeño, mi familia no podía permitirse el lujo de derrochar el dinero, así que el mejor método para tener balones gratis era subir al tejado de la escuela y quedarme con los que se perdían.

Me sentía como Spiderman. Era el único chico que subía. Yo vivía para el fútbol y a cambio de aquel premio no me importaba arriesgarme a sufrir una caída. Me interesaba el fútbol desde la cuna.

Si miras los álbumes de fotos de mi familia, verás fotos mías en casa, en la escuela, en la calle. Hay fotos mías en vacaciones, unas en Inglaterra, otras en el extranjero. Tengo diferentes edades en esas fotos. Tengo cortes de pelo distintos (algunos, realmente espantosos) y ropa de estilos diferentes. Pero en casi todas las fotos se me ve con un balón en los pies (o en las manos, o en la cabeza).

Jugaba al fútbol todos los días, a todas horas y en todas partes, en la escuela, en el parque, en campos deportivos, en las calles, incluso en mi casa: no podía dejar de dar patadas al balón. Jodie, mi hermana mayor, se ponía furiosísima, porque lo tiraba todo al suelo.

Solía avisarme tres veces que dejara de jugar, pero yo no le hacía caso. Al tercer aviso, abría la puerta trasera y me tiraba el balón ocho patios más allá. Una vez se enfadó tanto que apuñaló el balón con un cuchillo de cocina, para ver si me estaba quieto de una vez. Ah, la pobre no conocía mis aventuras de Spiderman. Al día siguiente tenía otro balón. ¡Seguro que se preguntaba de dónde lo sacaba!

En la actualidad, los dos nos reímos de todo aquello. Dice: «Qué ironía. ¿Cómo iba a saber que acabarías siendo un futbolista profesional? ¡Y yo que quería impedírtelo!» Nos reímos mucho cuando lo recordamos.

«JUGABA AL FÚTBOL TODOS LOS DÍAS, A TODAS HORAS Y EN TODAS PARTES, EN LA ESCUELA, EN EL PARQUE, EN CAMPOS DEPORTIVOS, EN LA CALLE, INCLUSO EN MI CASA: NO PODÍA DEJAR DE DAR PATADAS AL BALÓN.»

De niño vivía en Enfield, un municipio situado al norte del área metropolitana de Londres, y toda mi vida estaba determinada por el fútbol: ver fútbol, jugar al fútbol, pensar en el fútbol. Sí, amigos, era la esencia, la sustancia de mi vida cotidiana. A veces tenía problemas en la escuela, lo admito. Sufría una ligera dislexia, así que en primera enseñanza tenía un profesor particular y cuando estudié el bachillerato estaba entre los últimos de la clase.

Pero cuando se trataba de jugar al fútbol, disfrutaba como nadie. Incluso de pequeño sabía que aquel deporte sería mi vida. Todas las mañanas, camino de la escuela, iba dando patadas al balón. A la hora de comer no podía probar bocado, estaba demasiado ocupado jugando al fútbol. Llegaba la tarde y me ponía a jugar hasta que mi madre me llamaba para la cena.

Nunca me cansaba. Mi mejor amigo era Rooney (no Wayne Rooney, sino John Rooney) y jugaba conmigo todos los días, pero al cabo del rato se iba a su casa a jugar con videojuegos o a ver la tele, mientras yo me quedaba practicando. Interpretaba aquellas horas a solas como momentos para ensayar jugadas y técnicas por mi cuenta. Me gustaba toda clase de peloteo, incluso cuando estaba solo.

«MI VIDA ESTABA DETERMINADA POR EL FÚTBOL: VER FÚTBOL, JUGAR AL FÚTBOL, PENSAR EN EL FÚTBOL.»

A pesar de todo tardé en jugar con un equipo de verdad. Me integré en uno cuando tenía ya once años; casi todos los demás jugadores se habían integrado a los ocho. Pero es que no tenía ganas de estar en ningún equipo cuando estaba en primera enseñanza.

Recuerdo cuando jugaba en el equipo del colegio, el Instituto Lee Valley. Era el más pobre que había por allí. Apenas teníamos fondos y los chicos no se portaban muy bien que digamos. Solo una portería tenía red, pero éramos buenos jugando. En la primera parte estrellábamos el balón contra la red y en la segunda lanzábamos contra una portería vacía. Muchas veces marcaba un gol en la portería sin red, pero los del equipo contrario gritaban: «¡No ha entrado, no ha entrado!» Al final todos discutíamos a gritos y el profesor tenía que decidir si había sido gol o no. ¡Era divertidísimo!

Había un campo de césped artificial cerca de mi casa. Para nosotros era un espacio sagrado, ¡la tierra prometida! No teníamos permiso para jugar allí, pero, por si no lo has notado aún, nunca dejo que se interpongan en mi camino estos pequeños obstáculos. Nos colábamos, pero al final siempre aparecía el encargado y nos echaba. Acabó por amenazarme con chivarse al director de mi instituto, para que me expulsaran. Cerraba la puerta con pestillo, pero yo siempre me las apañaba para abrir. Eran travesuras, pero demuestran el ansia que tenía yo por jugar al fútbol. Naturalmente, cada vez que perdíamos un balón o se desinflaba, volvía a imitar a Spiderman.

Había escondido unas tablas entre los arbustos y, cuando era necesario, construía un pequeño andamio que apoyaba contra la pared de la escuela y subía por él. Luego pusieron una especie de alambrada plastificada, pero yo me ponía un chaquetón acolchado y pasaba por encima sin problemas. Ya en el techo, tomaba carrerilla, saltaba, me asía al canalón y me izaba a pulso. Y así llegaba al tejado más alto del edificio.

Si alguien enviaba un balón al tejado, yo subía y me lo quedaba. El conserje no subía nunca, por pereza seguramente.

Aprendí a escalar de mi padre. Trabajaba y todavía trabaja de techador, y cuando yo tenía fiesta en el colegio, a veces me llevaba con él. «No se lo digas a tu madre», decía. Para mí era todo un campeón: escalaba edificios de cinco plantas e iglesias altísimas. Lo veía como a un superhéroe. Muy valiente; puede que él fuera Spiderman y yo Spiderkid.

Mi padre también fue importante para mis progresos en fútbol. Me gustaba mirarlo cuando yo jugaba de niño. Nada aumentaba tanto la emoción de marcar un gol que verlo saltar y aplaudir. Para mí era una sensación embriagadora; vivía pendiente de esos momentos. Incluso cuando algo me salía mal, lo miraba para ver qué me aconsejaba. Decía cosas como: «Vamos, pon el alma en ello, inténtalo otra vez… haz esto, haz lo otro…» Recuerdo que esta actitud suya influyó mucho en mí y en mi desarrollo como futbolista adolescente.

De pequeño pesaba poco y solían quitarme el balón empujándome. Pero un día, en vez de dejarme impresionar por el jugador que tenía delante, lo esquivé y metí un golazo de antología por el ángulo superior. Como es lógico, miré a mi padre. Recuerdo que lo vi en un lateral, saltando de alegría. Aplaudía y gritaba: «Eso es, Bill, así se hace». Y en aquel preciso momento supe lo que debía hacer para ganar. Aquello cambió totalmente mi forme de jugar al fútbol. Me volví competitivo. Me di cuenta de que había que… bueno, no *pelear* exactamente, sino querer estar en posesión de la pelota. Y eso hice.

Mi padre iba a verme incluso cuando empecé a jugar de modo semiprofesional. Su presencia era importantísima. Me di cuenta de que cuando él no estaba allí, yo no jugaba

igual de bien porque era como si no jugara para nadie. Mi padre era mi público, mi inspiración. Era la persona a la que quería impresionar. Al acabar el partido, aguardaba con impaciencia el momento en que me dijera qué le había parecido mi juego.

Sabía de lo que hablaba. Cuando era más joven había jugado en el Tottenham. Pasó por el equipo juvenil y luego jugó con el England Schoolboys, pero sus padres le dijeron que lo dejase y se pusiera a trabajar en un puesto de frutas y verduras, ya que tenía que ganar dinero para la familia. Eran muy pobres y él tuvo que renunciar al fútbol.

Había sido un buen jugador en su época, así que yo siempre me tomaba muy en serio lo que decía sobre los partidos, y sus consejos y críticas. Lo aceptaba plenamente. A veces la gente se opone a que los padres animen a sus hijos desde la banda. Pero yo me alegraba de oír gritar al mío; a mí me producía un efecto muy positivo. Supongo que depende de los padres. Él no era de los que discutían las decisiones del entrenador. Nunca insultaba al árbitro ni decía nada a los demás jugadores.

Si me veía desanimado, me gritaba: «Vamos, trabaja, trabaja…» O me decía que abriera más mi juego. No eran críticas; eran instrucciones.

Así que yo pensaba que todo era para bien, aunque sé que es muy delgada la línea que separa esta actitud de esos padres que se pasan de la raya y gritan a jugadores que no son sus hijos, a los entrenadores y a los árbitros. Algunos padres no saben dónde está el límite. No habría que gritar a ningún niño cuando es pequeño, y menos si los padres no son entrenadores cualificados. ¿De qué sirve eso?

Yo tuve además otros guías. Mi primo Greg era una gran inspiración para mí. Por entonces estaba en el Arsenal. Incluso había representado a su país, jugando con el England Schoolboys. Yo jugaba al fútbol en un club de críquet y desde allí lo veía entrenar. Tiene cuatro años más que yo y entonces lo admiraba mucho. Hablaba de técnica: conocía muchas tácticas, muchos trucos y jugadas. ¡Greg era capaz de golpear mil veces una pelota de tenis sin que tocara el suelo! ¡Mil veces! ¡Y una pelota de tenis! Entonces no tenía más que trece años. Yo lo veía hacer aquella proeza y pensaba: «Quiero llegar a ese nivel».

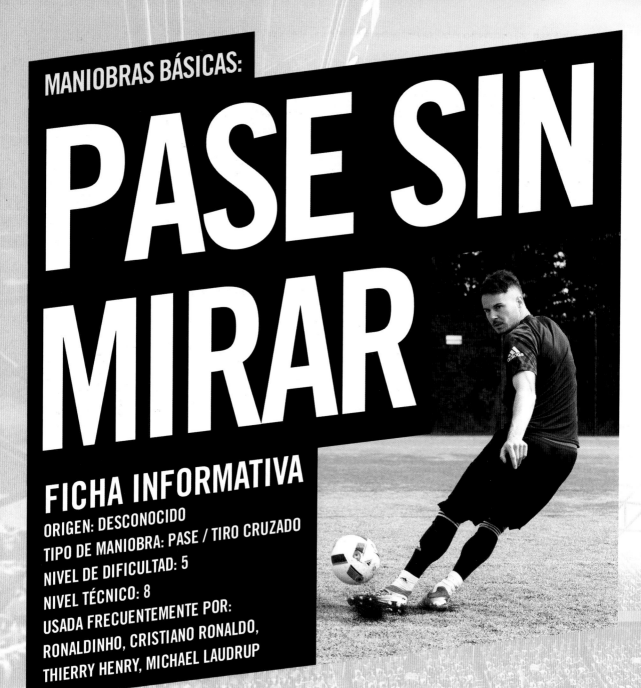

PASE SIN MIRAR

FICHA INFORMATIVA

ORIGEN: DESCONOCIDO

TIPO DE MANIOBRA: PASE / TIRO CRUZADO

NIVEL DE DIFICULTAD: 5

NIVEL TÉCNICO: 8

USADA FRECUENTEMENTE POR:
RONALDINHO, CRISTIANO RONALDO,
THIERRY HENRY, MICHAEL LAUDRUP

Billy: La primera regla de la técnica futbolística es: si es bueno para Ronaldinho, es bueno para cualquiera. Y a Ronaldinho le encantan los pases sin mirar. Haz bien uno y serás un rey. Pífiala una vez y, bueno, el público hará que tardes en olvidarlo.

La clave es volver la cabeza cuando golpeas el balón, no un momento antes. Es técnica de alto riesgo, pero es fundamental para ser bueno.

ACÉRCATE AL BALÓN LATERALMENTE

CUANDO DOBLES LA PIERNA PARA PEGAR APARTA LA MIRADA DEL BALÓN

NO MUEVAS LA CABEZA MIENTRAS GOLPEAS

MANTENTE EN EL SITIO HASTA QUE LA PIERNA DEL PASE QUEDE RECTA

ACÉRCATE AL BALÓN LATERALMENTE

CUANDO DOBLES LA PIERNA PARA GOLPEAR APARTA LA MIRADA DEL BALÓN

MESUT ÖZIL

«NO ES DE ESOS JUGADORES QUE HACEN EL PAYASO Y CEDEN LA PELOTA.»

MESUT ÖZIL

VELOCIDAD:	9
PREVISIÓN:	10
HABILIDAD:	9
EFICACIA DE GOL:	5
TÉCNICA:	9

F2
TRUMPS

Billy: ¿Sabes una cosa? Aunque sea hincha del Tottenham, tengo que admitir que Özil es un jugador de calidad. Su ímpetu supera toda medida.

Jez: Sin duda. Su atención y su capacidad para prever jugadas son de otro planeta. Hay 22 jugadores en el campo, pero hay cosas que solo Mes puede ver. Con esa capacidad previsora que tiene y esa delicadeza para avanzar con el balón es el sueño de todo artillero.

Billy: Entonces, ¿cómo es que Giroud no mete 40 goles por temporada si cuenta con una asistencia de tanta categoría?

Jez: Para el carro, chico de Tottenham, no puedes echar la culpa a Mes si Oli no remata los pases de gol todas las veces. Pero escucha esto: ¿sabías que Özil practicaba nueve horas diarias cuando era pequeño? Nueve horas al día. Eso es dedicación: es una locura.

Billy: Sí, por mucho talento natural que tengas, pasar a otro nivel dependerá únicamente de ti. Así que no te reprimas, tú eres forofo del Arsenal, dime qué asistencia de Mesut prefieres.

Jez: No se trata solo de sus asistencias. Se trata de cuando da un giro y deja atrás a un defensa, de cuando está en medio de una jugada frenética y reduce el ritmo y se toma todo el tiempo del mundo. ¡Es un auténtico mago! Pero recuerdo un pase de gol que hizo contra el Villa; era una jugada larga que venía de muy atrás y, sin siquiera moverse, adelantó el pie y se la pasó de un taconazo a Giroud, que no podía fallar.

Billy: Impresionante.

Jez: ¿Y qué me dices de lo que hizo en Anfield, cuando recibió un pase del otro lado del campo y dejó el cuero inmóvil con solo tocarlo? Colega, incluso los hinchas del Liverpool se quedaron mudos cuando hizo aquello.

Billy: La cosa es que yo pensaba, antes de conocerlo, que era muy tímido. Y es por su forma de moverse en el campo. Pero tiene un sentido del humor estupendo, ¿verdad?

Jez: Es verdad. Cuando hicimos el vídeo de «¿Cómo puedo hacerte un pase?» estuvo fantástico. Pasarte el papel higiénico mientras estabas sentado en la taza. No todos los jugadores son capaces de gastar bromas así.

«AUNQUE SEA HINCHA DEL TOTTENHAM, TENGO QUE ADMITIR QUE ESTOY ORGULLOSO DE QUE JUEGUE EN LA PREMIER.»

Mesut Özil

¿Cómo puedo hacerte un pase?

Billy: Bueno, no nos pasemos con los pases, salgamos del retrete y vayamos al campo. Ya sabes que tiene el armario lleno de trucos, habilidades y maniobras, pero no las luce porque sí. Si para mantener la posesión del esférico el equipo necesita pases sencillos, practicará pases sencillos todo el día. No es de esos jugadores que hacen el payaso y ceden la pelota. Además, consigue que los jugadores que están con él parezcan mejores de lo que son. No es nada egoísta.

Jez: Eso es cierto, es un tipo serio, no un exhibicionista. Prefiere asistir a marcar. Aunque vea la ocasión de llevarse el mérito, se la ofrecerá en bandeja de plata al compañero de equipo… ¡Debe ser genial jugar con él!

Billy: ¡Solo verlo ya produce asombro! Es de esos jugadores en que quieres concentrarte todo el tiempo, aunque no tenga la pelota. Entonces es cuando te das cuenta de toda la clase que tiene. Se desliza por el campo, en realidad es más como si patinara y sabe dónde están los espacios vacíos. Y todo sin despertar sospechas, ¡como un ninja! Aunque sea hincha del Tottenham, tengo

que admitir que estoy orgulloso de que juegue en la Premier.

Jez: Vamos, lo de menos es en qué club juegue. Él tiene categoría mundial, así de simple. Ha ganado la Copa del Mundo, era el rey de la asistencia en el Real Madrid…

Billy: Está bien, está bien. Pero dime una cosa: si es tan excelente, ¿por qué el Real Madrid lo dejó ir al Arsenal? Si eres el Madrid, no dejas que se te escape entre los dedos un jugador de máxima calidad, ¿no te parece?

Jez: No me lo preguntes a mí, compañero, pregúntaselo a Cristiano Ronaldo, que casi se muere cuando el Madrid vendió a Mesut. Y seguro que Ronaldo sabe de lo que habla. Tiene una excelente opinión de él, José Mourinho tiene una excelente opinión de él, y Wenger, y Joachim Löw… ¿quieres que siga o levantas las manos para que pare?

Billy: Yo también tengo una excelente opinión de él. Cálmate, chico, no te lo tomes tan a pecho.

DISEÑA TU PROPIO BALÓN

(Y MÍRALO EN MOVIMIENTO)

CAPÍTULO
DOS

LA HISTORIA DE LOS F2:

EL ORIGEN: JEZ

Jez: Uno de mis recuerdos más antiguos es del día que mis padres me regalaron un balón de esponja. Yo tendría dos o tres años. Me encantaba aquella esponja. Me puse a darle patadas por la casa inmediatamente. Por entonces apenas sabía andar, pero lo único que quería era dar puntapiés a la pelota. Tiempo después empezaron a reñirme, porque ya tenía un balón de cuero de tamaño 4 y mi madre me decía todo el tiempo que jugara con la pelota de esponja. Decía: «¡Algún día romperás algo!»

Eran unos padres estupendos. Él quería que jugara bien al fútbol. Muchos padres quieren lo mismo para sus hijos, ¿verdad? Pero escucha: mi padre me motivaba en serio. Cuando aún era muy pequeño me llevaba al parque local con mi hermano. Nos enseñaba jugadas y ensayábamos: pases, lanzamientos, control de pelota. Se lo tomaba muy en serio. No nos presionaba,

simplemente quería darme las mejores oportunidades.

Era un hombre inteligente. Sabía cómo convencerme. Cuando estábamos en el parque, no me quitaba los ojos de encima. Decía: «Si quieres ser alguien en este deporte, tendrás que hacerlo mucho mejor». Insistía una y otra vez, pero tenía razón. Sabía que yo respondía mejor cuando despertaba mi naturaleza competitiva.

Si creía que debía mentir un poco para llevarme por aquel camino, no vacilaba en hacerlo. El fin lo justificaba. A lo mejor me decía: «He visto a un muchacho en el equipo juvenil del Arsenal y creo que es un poco mejor que tú». ¡Ja! ¡Sabía exactamente lo que hacía! Yo no estaba seguro de que hubiera visto a ningún muchacho; puede que todo fuera mentira. Pero él sabía que yo me esforzaría más al oírle. Valía la pena. Y acabé sintiendo curiosidad por el chico en cuestión.

«APENAS SABÍA ANDAR, PERO LO ÚNICO QUE QUERÍA ERA DAR PUNTAPIÉS A LA PELOTA.»

Recuerdo que una vez fuimos a ver al equipo juvenil del Arsenal que jugaba contra el Chelsea. Yo miraba entre los arbustos porque era un partido sin público. Yo pensaba: seguro que saben hacerlo mejor, ¡mi padre había dicho que eran mucho mejores! Aquello me dio más confianza. Me di cuenta de que, en comparación, yo estaba en un nivel mejor del que pensaba. Estaba a la altura o incluso por encima de aquellos chicos. No vi nada que yo no pudiera igualar e incluso mejorar.

Estaba entusiasmado.

Así que me acostumbré a practicar todos los días. Llevé una especie de diario en el que apuntaba las horas que trabajaba cada día, cada semana, cada mes y cada año. Era un calendario. Tenía lápices de colores y cada uno representaba una técnica. Estaba tan bien organizado que de una sola ojeada podía comparar lo conseguido en diferentes momentos. Era ya un muchacho decidido y competitivo y el diario me impulsaba hacia el nivel siguiente. Acabé practicando incluso

el día de Navidad. Estaba totalmente entregado. Jugar en Navidad era como una oportunidad para adelantar a la competencia, que no podía salir al campo aquel día. Así era yo entre los 11 y los 14 años.

Creo en Dios. Soy cristiano, me eduqué en una familia cristiana e iba a una escuela cristiana privada de Hackney. Mi hermano también estudió allí, y mis hermanas. Mi madre era la directora y mi abuelo había sido pastor. Fue uno de los fundadores de la escuela. Yo sacaba sobresalientes. No había campo de recreo, así que no podía perfeccionar allí mi juego. Pero me las apañaba para practicar cada vez que volvía a casa. Lo que me convencía era mi propia dedicación. Por eso, entre otras cosas, llevaba el diario.

Éramos una familia muy unida. Mi padre me proponía desafíos. Decía: «Esta semana

«NO PODÍA CREER QUE AQUELLO FUERA VERDAD; QUÉ DIFERENCIA ENTRE VER UN PARTIDO EN VIVO EN EL CAMPO Y VERLO EN TELEVISIÓN.»

quiero que solo uses el pie izquierdo». Esto incluía no solo los ensayos, sino también los partidos. No estaba seguro de que él creyera que fuera a conseguirlo, ¡pero lo conseguí! Fue como un campo de entrenamiento militar para mi pie izquierdo. Y desde entonces siempre me he sentido cómodo con mi lado débil.

Recuerdo que vi un partido del Arsenal. No me acuerdo contra quién jugaba. Fue en Highbury y el entrenador era Wenger. Yo era muy pequeño. Pero tuve que esperar un tiempo porque mis padres no tenían dinero, no al menos para derrocharlo en entradas de fútbol. Ray Lee, que jugaba en el Arsenal, se había hecho cargo de mí y me entrenaba. Fue Ray quien me dio las entradas para ver al Arsenal. No podía creer que aquello fuera verdad; qué diferencia entre ver un partido en vivo en el campo y verlo en televisión.

Fue una experiencia alucinante ver jugadores de carne y hueso. Ahora trabajo con jugadores del máximo nivel y ya no me impresiona. Pero de pequeño no había visto ninguno en la vida real. Y de pronto los vi a todos de una vez. Fue fascinante. Los había visto en televisión y de pronto estaban allí, bajando del autobús, a unos metros de distancia, calentando y luego jugando. No me lo podía creer. Verlos jugar en vivo fue una experiencia magnífica, me encantó.

Me hizo pensar en lo lejos que podía llegar yo como profesional. Entiéndeme:

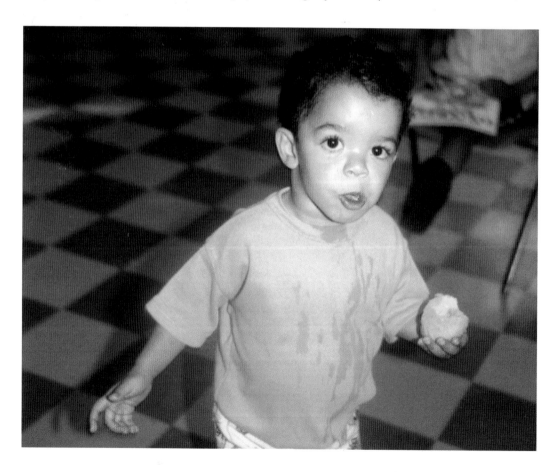

sigo creyendo que Bill y yo aún podemos pasar a un nivel superior. Puede que nuestra forma no sea totalmente la del nivel de élite, pero eso es solo porque no tiene que serlo. Si nos esforzáramos, lo conseguiríamos. Todos los profesionales con quienes hemos jugado han dicho que técnicamente damos la talla para estar en el máximo nivel. Gusta oír eso.

Tener éxito de entrada también es a veces cuestión de favoritismo. Puede depender de a quién conoces y de si gustas o no a un entrenador. En muchos clubes en los que he estado he visto a muchachos que, por la razón que sea, han sido favorecidos por los entrenadores. Las cosas son así; tienes que dejarte llevar por la corriente.

GIRO ELECTRIZANTE

FICHA INFORMATIVA

ORIGEN: INVENTADA POR BILLY WINGROVE, UK

TIPO DE MANIOBRA: REGATE

NIVEL DE DIFICULTAD: 8

NIVEL TÉCNICO: 9

USADA FRECUENTEMENTE POR: B. WINGROVE

Billy: Me veis y no me veis. He aquí cómo mejorar tu nivel técnico y dejar mareado al contrincante.

Básicamente es adelantar un pie, amagar, hacer retroceder el cuero y girar el cuerpo para cambiar de dirección. Empieza a practicarla despacio, divide la jugada en partes y domina cada una antes de aumentar la velocidad y ensayarla en un partido.

Es perfecta para descolocar a un defensa. Cuando piensa que vas en un sentido, ¡pumba!, giras y corres en otra dirección. Electrizante.

PASA EL PIE MÁS DÉBIL POR ENCIMA DEL BALÓN

APOYA EN EL BALÓN LA PLANTA DEL PIE FUERTE

TIRA DE LA PELOTA HACIA ATRÁS CON LA PUNTA DEL PIE…

…Y GIRA EL CUERPO AL MISMO TIEMPO

ALÉJATE CORRIENDO

PIE ADELANTE...

PISA LA PELOTA

ATRÁELA...

...VUÉLVETE AL MISMO TIEMPO...

...Y A CORRER

MAESTROS DE LA TÉCNICA:
CRISTIANO
RONALDO

> **«SENTIMOS UN CARIÑO ESPECIAL POR RONALDO. ES UN INCOMPRENDIDO.»**

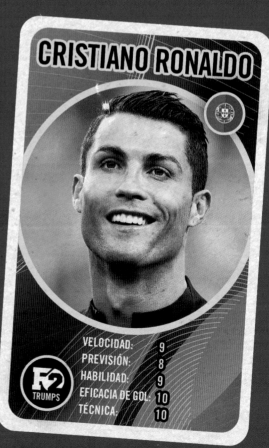

CRISTIANO RONALDO

VELOCIDAD:	9
PREVISIÓN:	8
HABILIDAD:	9
EFICACIA DE GOL:	10
TÉCNICA:	10

F2 TRUMPS

Jez: Creo que este muchacho es de los más incomprendidos que hay en el fútbol. Hemos hablado con él más de una vez y te aseguro que es muy simpático y muy auténtico.

Billy: Ciento por ciento. Es todo un *crack*.

Jez: No sé por qué piensa la gente que es arrogante. ¿Será porque en el campo no pide perdón por ser quien es? Pero fíjate en su estilo de vida y en cómo es realmente. Yo creo que tiene una gran confianza en sí mismo y eso se confunde fácilmente con la arrogancia, pero entre todos los jugadores con quienes hemos trabajado, es de los más simpáticos. Muy realista.

Billy: La gente tiene que darse cuenta de que casi todos los futbolistas son serios y decentes. Los medios pueden darles mala prensa a veces, pero según nuestra experiencia, son buena gente.

Jez: Incluso los más famosos.

Billy: Especialmente los más famosos. Es curioso, pero por lo que suelo ver, cuanto más famosos, más realistas son. Es posible que los que están más arriba piensen que tienen que demostrar menos cosas.

Jez: Cuando trabajamos con él en una filmación, tuvo tiempo para nosotros y para todos los que intervinieron. Estuvo muy respetuoso. Hemos coincidido con él varias veces y yo nunca he visto que se comporte con arrogancia. Sentimos un cariño especial por Ronaldo. Es un incomprendido.

Billy: Entonces, dediquemos a este genio del fútbol los elogios que merece.

Jez: Guarda mucha sabiduría en su armario. ¿Qué habilidad suya destacarías? Tiene una gran habilidad técnica, la tijera, la *knuckleball* o trallazo con efecto aleatorio… ¡Una pasada!

Y es mucho más rápido de lo que la gente cree a veces.

Billy: Sus tiros libres son mortales. ¿Cuántas veces hemos visto a los jugadores e hinchas contrarios abatir la cabeza cuando se concede un

«¿Y QUÉ, SI CUIDA SU ASPECTO? ¿ES QUE NO CUIDA MUCHO MÁS SU FORMA DE JUGAR?»

Messi VS Ronaldo

tiro libre al equipo de Ronaldo? Es como si admitieran el gol antes de que el jugador haga el lanzamiento. Pero tiene muchas más cosas que los tiros libres. Con los años se ha vuelto más eficaz en los golpes de cabeza.

Jez: Desde luego, su arte ha evolucionado. Empezó en el ala derecha, pasó a la izquierda y desde entonces ha jugado más adelantado y más en el centro. Adapta su juego según donde esté.

Billy: Incluso cuando no pisa el césped sabe influir en un encuentro. En la final europea de 2016, tuvo que retirarse lesionado, pero estuvo todo el tiempo en la banda, gritando, señalando, animando. No es un descrédito para los 11 de la selección portuguesa que estuvieron en el campo decir que también él influyó en el juego.

Jez: Y aquel partido, aquel concretamente, fue la guinda del pastel de su trayectoria profesional hasta la fecha. Ganar algo con el propio país es un honor increíble.

Billy: ¿Y no ha sido fantástico ver pelear a Ronaldo y a Messi en la liga española todos estos años? No se me ocurre ningún otro enfrentamiento entre dos jugadores que den un espectáculo de tanta categoría. Los dos han marcado en dos finales de la Liga de Campeones de la UEFA y han superado la barrera de los 50 goles en una sola temporada. Por más vueltas que le des, no acabas de decidir cuál es mejor. Es como la rivalidad de Ayrton Senna y Alain Prost en Fórmula 1. O la que hubo en tenis entre Björn Borg y John McEnroe. Pero ¿a quién le importa quién sea el mejor? ¡Es un gustazo ver a los dos!

Jez: Él mismo ha dicho que la rivalidad ha conseguido perfeccionarlo. Y eso a mí me parece estupendo. Yo no quiero perderme todo el juego que aún tienen los dos por delante. No estoy de acuerdo con las críticas que se hacen a Ronaldo, ni siquiera las que se lanzan contra su aspecto físico. ¿Y qué, si cuida su aspecto? ¿Es que no cuida mucho más su forma de jugar? Es un gran tipo. Apreciémoslo en lo que vale.

DISEÑA TU PROPIO EQUIPO

(Y COMPÁRTELO ONLINE)

CAPÍTULO TRES

LA HISTORIA DE LOS F2:

PRIMERAS TÉCNICAS: BILLY

Billy: A veces iba a entrenar al campo del Arsenal con mi primo Tommy, que jugaba en el equipo juvenil. Para mí era fantástico el solo hecho de estar allí y pisar aquel césped. El entrenador era George Graham y recuerdo que un día lo vi dirigirse a los vestuarios. Nosotros nos quedamos fuera. Inmediatamente me hice con un balón y me puse a hacer ejercicios de habilidad, delante de la entrada de vestuarios, con toda la naturalidad del mundo.

Quería que se fijara en mí. Y se fijó. Cuando pasó por mi lado dijo: «Tenemos que contratar a este chico». A pesar de que yo era hincha del Tottenham, fue un momento increíble. Todo elogio es importante, ¿verdad? Necesitamos compensar el elogio con la crítica constructiva. Yo aconsejaría a quienes lean esto y quieran destacar en el fútbol o en el juego de estilo libre que aprendan a escuchar a los que saben. Mi padre sabía que yo respetaba todas sus indicaciones, incluso las que hacían daño. Añádase a esto su habilidad futbolística y el hecho de que jugara en el Tottenham, y bueno, ¿qué podía decir yo? En mi familia

todos éramos del Tottenham. Y sigo queriendo a todos.

El primer partido del Tottenham al que me llevó mi padre fue a uno en que se enfrentó contra el Coventry. Recuerdo que entré en White Hart Lane impresionado por la atmósfera, la emoción y el ruido. No me asustaron ni la multitud ni el alboroto. Al contrario, me gustó todo aquello. Yo tenía unos once años. Nos sentamos en la tribuna este, muy atrás, en la parte más alta. Cuando marcamos, mi padre se puso en pie de un salto y me derramó encima la bebida. Pero perdimos 3-1. ¡Mi padre echaba chispas! Había gastado en total 160 libras y dijo: «No volverá a ocurrir, no vale la pena». Me entró mucha angustia cuando oí aquello. Durante una temporada fuimos muy poco al fútbol. Por entonces el Tottenham perdía muchos partidos, así que era difícil prever a qué partido ir si queríamos ver una victoria segura.

A pesar de todo volvimos y el Tottenham incluso ganó en algunas ocasiones. Una vez mi padre apostó en un partido contra nuestro competidor local, el Arsenal. Debería haberme escuchado. Yo le decía: «Papá, vamos a ganar 2-1. Chris Armstrong marcará

«NECESITAMOS COMPENSAR EL ELOGIO CON LA CRÍTICA CONSTRUCTIVA.»

26   Enfield Advertis

Billy's on the ball

Football freestyler shows off his skills

By SAM CAREY

FOOTBALL phenomenon Billy Wingrove has wowed crowds with his ball juggling skills...

Spurs juggler happy to be a control freak

BY RAOUL SIMONS

MEET the Tottenham trickster. Inspired by a pre-sumo Diego Maradona, Billy Wingrove is the "football freestyle" champion who has been livening up the half-time entertainment at White Hart Lane this season.

Parading around the pitch while juggling a ball with various parts of his anatomy, the 20 year old — and others like him — have taken traditional "keepy-uppies" to a new level.

Football freestyle is now so popular there are countrywide competitions where players' expertly-crafted routines are judged in the same way as ice dancers or gymnasts.

Ever the innovators, Spurs have latched on to this growing pastime and given Wingrove a contract as the Premiership's first freestyle coach.

His duties not only involve the half-time show on matchdays, but also teaching youngsters new tricks through courses run as part of the club's community scheme.

LEARN FREESTYLE FOOTBALL
WITH THE UK'S NUMBER ONE BILLY WINGROVE

VOL 1

Urban Football Merchandise

el primer gol, el Arsenal empatará con un gol de Dennis Bergkamp, pero Teddy Sheringham decidirá la victoria». Había dicho cuántos goles, en qué orden y qué goleadores, ¡y acerté! Pero mi padre no apostó ni una libra a mi predicción. Siempre me acuerdo de aquello. ¡No podía creerlo! ¡Habría ganado un pastón! De todos modos, derrotamos al Arsenal así que fue un día feliz.

Le gustaba probar suerte aquí y allá, y yo salía beneficiado a veces, de rebote. Un día ganó en las carreras de caballos. Dijo: «Bien, voy a comprarte el equipo del Tottenham». Fue mi primer uniforme azul celeste. Me lo compró completo. En la tienda lo llevaba de vez en cuando y en casa siempre. Era el chico más feliz del mundo y lo digo en serio. Es lo

bueno de crecer en una familia con poco dinero; aprecias en profundidad esos momentos porque son raros.

Cuando dejé la escuela jugué en un equipo local, el East Herts College. Luego estuve en el Ware y en el Enfield Town, que entonces formaban parte de la Liga Ryman, una liga regional del sur de Inglaterra. Fue cuando tenía entre 16 y 19 años. Mi intención original era ser futbolista profesional y mi sueño jugar con el poderoso Tottenham. Trabajé mucho y aprendí todo lo que pude.

Tenía muchos héroes. Admiraba a Gazza [Paul Gascoigne]. Su forma de jugar era increíble. En su época de esplendor siempre parecía estar muy contento y reía mucho. Y esa era la clase de persona y de jugador

«YO TENÍA MUCHOS HÉROES.»

que quería ser, bueno en el fútbol y lleno de entusiasmo.

Fue triste ver que las cosas se le torcieran. Hablé con él en cierta ocasión. No estaba en su mejor forma. Fue una pena que sus adicciones pudieran más que él. Puede que lo aconsejaran mal cuando sufría lesiones y después de dejar el fútbol. Pero en su mejor momento era una superestrella mundial del fútbol, un sueño hecho realidad. Su habilidad, su estilo y su forma de ser eran asombrosos. Quería ser un jugador como él. Un jugador capaz de cambiar un partido, que daba la victoria a su equipo. Como Gareth Bale fue luego para el Tottenham. Esa clase de estrella.

Gazza era muy sensible y abierto como jugador. No ocultaba ningún secreto, se veía enseguida lo mucho que significaba el fútbol para él y lo dispuesto que estaba a aceptar la responsabilidad. Veo lo mismo en Bale. Sale al césped y da la victoria s su equipo.

Tuve otros héroes conforme transcurría el tiempo. Muchos eran del Tottenham, pero había de otros equipos, como Ian Wright del Arsenal y Éric Cantona del Manchester United. Wright era un deportista en estado natural, como un jugador callejero. Yo lo entendía, porque yo jugaba en la calle por entonces. Era un futbolista electrizante y significó mucho para mí, aunque estaba con los rivales más enconados de mi querido Tottenham. En cuanto a Cantona, ¿cómo no entusiasmarse por él? Era el jugador extranjero más frío y controlado que había. Me gustan los jugadores con personalidad, lo digo muy en serio.

Otro que me gustaba era Gianfranco Zola, entre otras cosas porque, al igual que él, yo era bajo de estatura. En realidad, yo era el alumno más bajo de mi curso.

«A VECES TIENES UNA INTUICIÓN Y NO TODOS LA COMPRENDEN.»

Nadie me tomaba en serio: me llamaban el pequeño Bill. Pero yo no quería ser el pequeño Bill, quería ser un futbolista de verdad. Por eso admiraba a Zola, porque era el enano que cruzaba la defensa enemiga y marcaba. Sus hazañas me estimularon mucho.

Pero mi héroe definitivo, cuando fui algo mayor, fue Ronaldinho. Su forma de expresarse con un balón no tiene rival. Nunca he visto a un futbolista jugar con tanta libertad. Para mí es el mejor y lo será siempre.

A los 19 años acabé por renunciar a mis ambiciones futbolísticas. Ya había probado suerte en el estilo libre (*Freestyle*) y decidí seguir ese camino. Fue, entre otras cosas, porque buscaba lo mejor: me parecía mucho más probable llegar a ser el mejor del mundo en estilo libre que en fútbol. Fue un movimiento profesional. También fue el mayor sacrificio de mi vida. Levantarme y decir: «Los próximos siete años no jugaré a fútbol profesional» fue de órdago. El Stevenage

quería ficharme por entonces. Había posibilidades. Pero yo lo enfoqué desde el punto de vista laboral. ¿Cuánto dinero iba a ganar en el Stevenage? ¿Qué perspectivas tenía en aquel club? ¿Qué pasaría si me lesionaba? ¿A cuántos chicos habría entusiasmado jugando en el Stevenage? Con Los F2 despertamos el interés de mucha gente en todo el mundo y, con todos los respetos para el Stevenage, no era probable que este club fuera un trampolín internacional.

Fue una decisión fuerte. La más seria de toda mi vida. Mi madre, con la mejor intención del mundo, dijo que no quería verme trabajar haciendo piruetas y cabriolas. En aquella época no existía la profesión de futbolista de estilo libre. Así que, con aquellas opiniones suyas, prefería que trabajara en el supermercado Tesco de nuestra calle. Pensaba que dedicarse a las piruetas era demasiado arriesgado. «Hacer malabarismos con un balón no es un oficio», decía. Yo sabía que lo decía porque me

quería, pero también sabía que allí había un oficio. Mi intuición era muy fuerte. A veces tienes una intuición y no todos la comprenden. No os quepa la menor duda; mis padres me presionaban mucho para que encontrara un trabajo «de verdad».

Cuando por fin me decidí a dedicarme al estilo libre, todavía estaba jugando en el Ware. Era de los que más cobraba en el equipo y la verdad es que me lo pasaba bien. Marqué 17 goles como centrocampista izquierdo. Lo hacía realmente bien. Un día que jugábamos contra el Clapton, su lateral derecho me lesionó. Había tenido una discusión con uno de mi equipo. Ya habían tenido muchos encontronazos. Más tarde, en el mismo partido, peleé por el balón con este mismo individuo. Me dio tal patada que me rompió los ligamentos de ambos lados del tobillo. Era una lesión grave. El fisioterapeuta me dijo: «Más te valdría que te hubieran arrancado el tobillo

entero porque la rehabilitación va a ser muy dura». ¡Apabullante!

Volví a los seis meses. Había estado mucho tiempo sin jugar y, en realidad, regresaba demasiado pronto. Volví a sufrir la misma lesión y estuvo tres meses indispuesto. Era muy frustrante. Casi increíble. Cuando regresé por segunda vez estaba demasiado asustado para pelear balones. Ya no era el mismo jugador. Antes de lesionarme había estado por encima de los demás, pero ahora… se había acabado.

Poco después del regreso recibí otro golpe y decidí concentrarme en las acrobacias. Pero esta no es la historia de una mala suerte. Fue una gran decisión y es posible que todos aquellos problemas de las lesiones fueran la forma que tenía la vida de indicarme mi verdadero objetivo. El *freestyle* iba viento en popa, entraba dinero y cada vez me ofrecían mejores empleos.

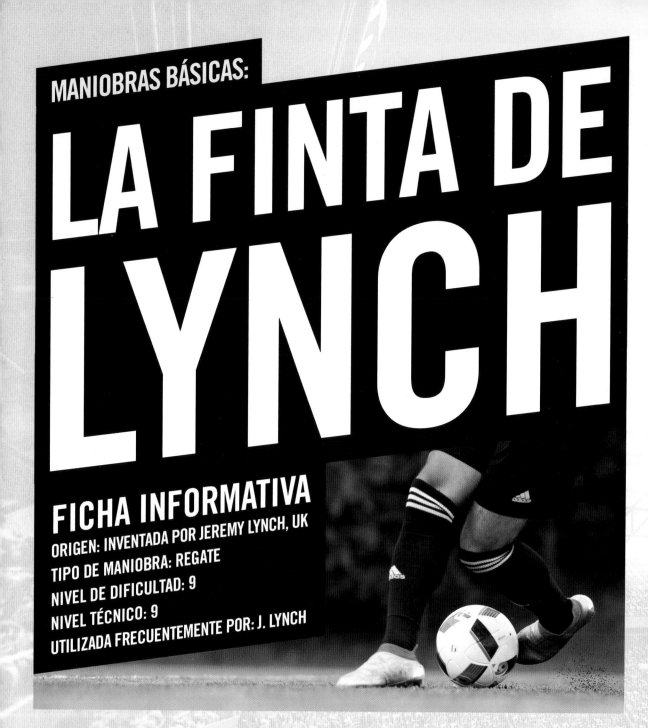

MANIOBRAS BÁSICAS:
LA FINTA DE LYNCH

FICHA INFORMATIVA

ORIGEN: INVENTADA POR JEREMY LYNCH, UK

TIPO DE MANIOBRA: REGATE

NIVEL DE DIFICULTAD: 9

NIVEL TÉCNICO: 9

UTILIZADA FRECUENTEMENTE POR: J. LYNCH

Jez: Sabes lo que es una finta, ¿no? Pues se trata de subir un nivel. Es un regate estupendo, con un nombre igual de estupendo. Me pregunto de dónde vendrá.

Vais derechos hacia el defensa, das un paso por encima del balón mientras lo empujas suavemente con el pie rezagado. Entonces, con mucha rapidez, apartas el balón del defensa con el pie adelantado. Lo rebasas antes de que diga Zlatan Ibrahimovic. O, en este caso, Jeremy Lynch.

TE ACERCAS AL DEFENSA

DAS UN PASO POR ENCIMA DEL BALÓN

ADELANTAS EL ESFÉRICO CON EL PIE REZAGADO

Y SUPERAS AL OTRO CON EL EXTERIOR DEL PIE ADELANTADO

TE ALEJAS CORRIENDO...

...Y DEJAS AL DEFENSA CON UN PALMO DE NARICES

¡¡¡TOMA!!!

LIONEL MESSI

> «ESTAR Y HABLAR CON ÉL, Y DARLE AL BALÓN CON ÉL, FUE INCREÍBLE.»

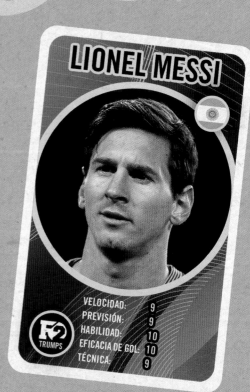

LIONEL MESSI

VELOCIDAD:	9
PREVISIÓN:	9
HABILIDAD:	10
EFICACIA DE GOL:	10
TÉCNICA:	9

F2 TRUMPS

Jez: Messi es Messi, ¿qué quieres que te diga? Es uno de los más grandes de todos los tiempos, por no decir el más grande. Aún no puedo creer que lo conociéramos personalmente. Estar y hablar con él, darle al balón con él, fue increíble. Cuando fuimos a La Masía, el campo de entrenamiento del Barcelona, estábamos muy emocionados. Para ser sinceros, bastó que supiera quiénes éramos para que desbordáramos de alegría.

Billy: Yo tenía el ánimo travieso aquel día. Había oído decir que el lema del Barcelona es que siempre hay que estar preparado para recibir el balón, venga de donde venga. Para comprobar si era verdad, le tiré el balón mientras él estaba hablando por teléfono. Solo tenía para reaccionar unos segundos, pero lo inmovilizó con toda naturalidad. Es asombroso. Si me preguntaras quién es el mejor jugador del mundo, habría una competencia muy reñida entre él y Ronaldo. Pero en mi opinión, ganaría Messi. Así que analicémoslo: ¿por qué es tan bueno?

Jez: Para empezar, mantiene el balón muy cerca de los pies, para controlarlo en todo momento. Esto, dicho así, parece una simpleza y una obviedad, pero cuando digo que mantiene el balón muy cerca de los pies, quiero decir que no deja de tocarlo.

Billy: Es como si lo llevara pegado a ellos. Otro clásico de Messi es superar al contrario con la caída del hombro. Es un Messi clásico, ¿no?

Jez: Sí, corre hacia los defensas para obligarlos a entrar en el juego. Entonces es cuando hace su jugada: atacar el espacio con el primer avance. ¡Debe de ponerlos muy nerviosos! Y a veces se cuela. Los defensas saben que entrará en cuña, pero como él mismo me dijo, saberlo no basta para pararle los pies. Me dijo: «No se trata de si lo hago, sino de cuándo lo hago». Así que ahí tenemos una lección para todos: encontrar el momento oportuno y que el oponente persiga nuestra sombra.

Billy: La liga española tiene una buena proporción de máquinas de asistir, pero los pases criminales de

Messi son una liga por sí solos. Utiliza la parte interior del pie para dar al balón un poco de efecto y mandarlo al pasillo de la incertidumbre. Mortal y tentador.

Jez: También golpea con la parte interior del pie en los tiros libres. Sus lanzamientos buscan lugares, son de precisión más que de potencia. Lo verás una y otra vez mandando el balón por encima de la barrera para que vaya al palo más cercano. Fíjate en él desde el principio de la jugada: se prepara para el lanzamiento acercándose lateralmente a la pelota. Todo es especial en él. En mi opinión, Messi es el jugador que hace los mejores pases del mundo, pero es tan bueno en todo lo demás que esa virtud suya pasa inadvertida.

Billy: ¿Quién se atrevería a decir cuáles son los mejores momentos de Messi en el campo? Hay muchísimos. A los 19 años metió tres goles seguidos en la portería del Madrid, definiendo el juego ya a esa edad. El Barça se había quedado con diez hombres, pero él lanzó un izquierdazo que dejó clavado el guardameta. ¡Sin apelación posible!

Jez: Sí, también recuerdo su victoria frente a Irán en los Mundiales de 2014. Los iraníes habían resistido bien para llevarse un punto inverosímil y entonces, casi al final, en el tiempo de descuento, lanzó la pierna izquierda y reventó las mallas. ¿Qué se puede hacer frente a eso? Es un privilegio vivir en la misma época que este campeón. Quiero hacer más vídeos con Messi. Lo quiero muy en serio.

«ES UN PRIVILEGIO VIVIR EN LA MISMA ÉPOCA QUE ESTE CAMPEÓN.»

ALGUNAS PREFERENCIAS NUESTRAS

BILLY

Gol favorito: Un tiro libre de Gazza en las semifinales de la Copa inglesa de 1991, frente al Arsenal. Yo creo que es de lo mejor, ¿no te parece? ¡Estaba a 35 metros de puerta! Sería un escándalo para cualquiera que se intentara un disparo a esa distancia; y meter el balón por el ángulo superior sería ya lo nunca visto. Seguro que sus compañeros pensaban que iba a hacer un pase. Pero lejos de ello, lanzó un trallazo directo que batió a David Seaman por el ángulo.

Recuerdo que salí corriendo de mi casa para celebrarlo. Estaba como loco. El comentario de televisión también fue genial:

«¿Lo va a intentar Gascoigne? Sí, lo intenta, lo lanza… ¡Oh, cielos!» Felices tiempos.

Partido favorito: El 4 a 4 del encuentro Tottenham-Arsenal en 2008. Hubo una tensión terrible: el golazo de David Bentley desde 35 metros, el marcador que subía y bajaba y Aaron Lennon que igualó el partido en el tiempo de descuento. ¡Qué pelea!

Favorito de la selección inglesa: Ya sabes que podría repetir el nombre de Gazza, me gustaría nombrar a otro, pero es que Gazza es mi favorito de la selección inglesa de todos los tiempos. Por eso me limito a decir: Gazza.

Club extranjero favorito: Mmmm… la cosa está entre el Barça y el Madrid, ¿no te parece? Me encanta ver jugar a los dos. Jez dirá el Barça, eso lo sé, por eso yo digo el Real Madrid: siempre hacemos lo mismo, él elige uno, yo el otro. Creo que todo lo de ese equipo, incluso la camiseta, es fascinante. Su tamaño y su estructura son monumentales. Siempre atraen a los mejores jugadores. Son historia.

Competición internacional favorita: Me encantaron los Mundiales de 2006, entre otras cosas porque estuve allí. Hasta que se lanzó el penalti ganador de Italia, toda la competición fue una maravilla.

Profesional favorito de otro deporte: Lewis Hamilton. No veo las competiciones de Fórmula 1, pero lo conozco y admiro mucho el empeño que pone siempre en ganar. Para conseguirlo está dispuesto incluso a arriesgar la vida. Y al igual que muchos otros grandes, en el fondo es un hombre realista y humilde.

Comida favorita: No hay como comer en Nando's. Me gusta el medio pollo (al limón y con hierbas o muy picante; nunca un término medio). De guarnición, patatas fritas con salsa piri piri, una mazorca de maíz, un refresco y pastel. En el plato mezclo la mitad de la salsa de hierbas con la mitad de la de ajo, afeito la mazorca con el cuchillo y echo el maíz en la salsa. Se lo recomiendo a todo el mundo. Es mi plato favorito de Nando's. Probadlo y ya me lo agradeceréis. Jez y yo tuvimos la Tarjeta Negra de Nando's durante dos años, así que comíamos gratis. No sé si

eran conscientes de las consecuencias, porque estábamos siempre allí. Íbamos todas las noches.

Serie de televisión favorita: *Juego de tronos*. Mi personaje favorito es Khaleesi… por motivos evidentes…

Consigna favorita: Amor, paz y técnica. Resume lo que somos Los F2: somos amor, paz y habilidad técnica. ¿Acaso se necesita algo más?

Cantante pop favorito: La verdad es que me gusta Ed Sheeran. Tiene canciones relajantes que son de mi estilo. Nuestro trabajo es muy agitado, así que resulta genial relajarse en el cuarto de baño oyendo sus canciones. Tiene mucho talento. Mis canciones favoritas son las melódicas: *Tenerife sea* y *Photograph*. Relajan a tope. Antes de una exhibición escuchamos algo duro, o rap, para estar en vena. Pero en los restantes momentos me gustan las canciones de cualquier artista que suavicen un poco el ritmo de la vida.

Estación favorita: El verano, todas las horas del día. Me encanta el calor. Me pone contento por la mañana.

Bebida favorita: Por ejemplo, Appletiser. Es una bebida muy sana, así que espero no haber metido la pata por recomendar una bebida con burbujas.

Aperitivo favorito: Comer sano es fundamental, pero no es malo permitirse un capricho de vez en cuando. A mí me chiflan las patatas fritas crujientes. Chipsticks con sal y vinagre, las redondas de McCoy's. Pero las voy turnando según los momentos.

ALGUNAS PREFERENCIAS NUESTRAS

Gol favorito: El fabuloso trallazo de Dennis Bergkamp contra el Newcastle en 2002. Se adelantó con gran valentía, fue pura magia. Y al primer disparo. De película. Me encanta aquel gol. También me gustan algunos tiros con efecto de Ronaldo contra el ángulo superior. ¡Qué poderío!

Partido favorito: Yo diría la final de la Champions de 2005 entre el Milan y el Liverpool. Al margen de cuáles fueran tus colores preferidos, desde el punto de vista inglés fue un partido de miedo. Marcó un hito

en la era moderna. Puede que no me creas, pero cuando vi que el Liverpool perdía 0-3 al finalizar el primer tiempo, me dije: «Nunca se sabe, aún podrían remontar la goleada». ¡Lo pensé, es cierto! ¡Y ocurrió así! ¡Uf! Imaginaos lo que debió de sentir un hincha del Liverpool aquella noche. Y ahora imagina lo que debió de sentir un hincha del Liverpool en el terreno de juego. Algo alucinante. Ningún amante del fútbol lo olvidará.

Entrenador favorito: José Mourinho. Me encantan los profesionales del fútbol con carácter. Creo que es positivo para el juego. Zlatan, Balotelli, Mourinho. No estoy de acuerdo con todo lo que hacen, pero tener personalidad es bueno. Algunos futbolistas que la tienen se quedan sin ella por querer complacer a los medios. Bueno, supongo que no es tan anormal, pero siempre me gustarán las personas con carácter. Aunque hagan más fuertes a nuestros rivales. Quizá me gusten tanto porque somos animadores.

Favorito de la selección inglesa: Ashley Cole. Puede que alguno se sorprenda. Yo creo que ha recibido muchas críticas y ha sido un incomprendido todos estos años. Pero pocos jugadores de la selección inglesa pueden decir que han sido los mejores del mundo en su posición durante un tiempo significativo. Mientras estuvo en la selección, Ashley fue nuestro jugador más sólido y no se le ha reconocido lo suficiente.

Club extranjero favorito: El Barça. Es el mejor del mundo. Ha dominado la escena en el último decenio. Todos los de esta generación tienen el honor de ver a Messi. Y a Ronaldo en el Real Madrid. Los dos mejores jugadores que existen encontrándose y peleando una y otra vez. Solo cuando se retiren se darán cuenta todos de lo que tuvimos. ¿Habrá alguna vez otro Messi y otro Ronaldo? Algunos dirán que sí, pero yo no estoy tan seguro.

Competición internacional favorita: Fuimos a la Eurocopa de 2016 porque nos llevó

Adidas y pudimos ver muchos partidos. Verlo en vivo fue fascinante. El campeonato recibió muchas críticas en conjunto, pero no estuvo tan mal como la gente piensa. También hubo momentos de gran fútbol.

Profesional favorito de otro deporte: Qué dilema, chicos. Yo también votaría por Lewis Hamilton. Es impresionante. Soy aficionado a la Fórmula 1. También soy entusiasta del *karting*. En mi pista local he sido el tercero en velocidad. Pienso perfeccionarme. ¡Quiero el primer puesto!

Comida favorita: Las batatas. En cualquier modalidad: fritas a la francesa, en cuña, en puré. Las como casi todos los días. Son muy sanas. Sí, colegas, me encantan.

Cantante favorita: Carrie Underwood o Jazmine Sullivan. Como está más cerca de casa, me quedo con Jazmine Sullivan.

Estación favorita: También yo prefiero el verano. Es muy diferente del invierno, en invierno acabamos hartos de practicar técnicas al aire libre todo el día.

Bebida favorita: Me gusta el agua con lima: sencillo, sano y bueno.

Aperitivo favorito: Patatas al horno con sal y vinagre.

LA HISTORIA DE LOS F2:

JEZ TIENE TALENTO

Jez: De pequeño estuve un tiempo en la cantera del Arsenal y como además era hincha de este equipo, fue genial. Pero no duró mucho. Siempre recordaré el día que me echaron. Me lo comunicó un representante del club llamado Roy Massey. Si he de ser sincero, fue muy amable. No es fácil decirle a un muchacho que sus sueños no pueden hacerse realidad, pero parte de su trabajo era explicar a los jugadores que no se les necesitaba. A mí me dijo que se había acabado y añadió: «Tenemos relaciones con el Colchester, por si quieres probar con ellos. Es innegable que deberías estar en una cantera».

Resultó que quien había tomado la decisión final había sido Liam Brady. Por si no has oído hablar de él, fue un centrocampista muy dotado que jugó en el Arsenal y la Juventus allá en los años setenta y ochenta. Mientras jugó fue famoso por su pie izquierdo, por su agudeza para ver las cosas y por la elegancia de sus pases. Cuando quedé bajo su tutela, estaba encargado de la formación de los jóvenes del Arsenal. Era quien tenía la última palabra sobre ellos. Por lo visto, los demás entrenadores del club querían que me quedara. Pero Brady pensaba que yo era demasiado inmaduro y que necesitaba entrenar más. Para ser justos, es probable que mi enfoque del fútbol no fuera el debido. Me dijeron que con el balón era seguramente el mejor del club sin excepción. Me dijeron: «En ese aspecto no tienes defectos». Pero cuando no estaba en posesión de la pelota seguramente era el peor.

«CUANTO MÁS TIEMPO PASABA, MÁS CLARO VEÍA LO QUE ME INTERESABA.»

Yo no tenía ninguna clase de entrenamiento. Cuando entré en el club era un jugador en bruto. Era la técnica lo que me fallaba. Si se hubieran tomado la molestia de entrenarme, no me cabe duda de que habría acabado en el equipo principal. Había un par de fases que había que completar y que yo no había hecho. Esa era la cuestión. Pero tenía razón entonces. Y acabé respetando su decisión. No le he guardado ningún rencor por aquello.

Cuando Massey me dio la noticia, encajé el golpe y ahí acabó todo. Pero en cuanto estuve en el coche con mi madre, rompí a llorar. En aquel momento no podía entenderlo. Hoy lo veo claro como el agua: mi intención era conseguir algo posiblemente más grande y de mayores consecuencias que ser un futbolista profesional del montón. Bill y yo somos únicos en el planeta: lo que hacemos nosotros no lo hace nadie más, pero ¿futbolistas? Futbolistas hay miles.

Lo que hemos hecho estos últimos años es mejor que labrarnos un porvenir como futbolistas. Y gracias a eso hemos conocido a los mejores y trabajado con ellos de un modo único. Así que creo que soy muy afortunado. Si miro atrás, pienso que no habría seguido otro camino. Si hubiera progresado en el Arsenal no existirían Los F2. ¡Y eso sería una auténtica tragedia!

Mientras tanto me salieron otras oportunidades. Me ofrecieron probar en los juveniles del Fulham. Pero dije que no porque no quería que mi madre hiciera viajes tan largos. Entre la ida y la vuelta habría tenido que estar al volante cuatro horas, con todo el tráfico que había, porque vivíamos en el este de Londres. De niño me llevaba a todas partes. Una madre de leyenda. No quería que su vida estuviera condicionada de aquel modo.

«PARA MÍ, GANAR SIEMPRE HA SIDO ALGO MUY SERIO.»

Cuanto más tiempo pasaba, más claro veía lo que me interesaba. Pero hubo reveses y desvíos en potencia. De niño veía *The X Factor,* un concurso de la televisión británica para encontrar talentos musicales. Las irregularidades, las sorpresas y las peripecias de los concursantes me atraían. Costaba no sentirse atrapado por el aspecto dramático del asunto, ¿verdad? Para mí, los verdaderos protagonistas no eran los participantes, el verdadero protagonista era el juez principal, Simon Cowell. Me gustaba su franqueza. Así que cuando produjo otro programa, *Britain's Got Talent* («Gran Bretaña tiene talento»), me puse a pensar. *The X Factor* era para cantantes, pero *Britain's Got Talent* estaba abierto a todos, desde cómicos hasta bailarines con perros, cualquier cosa. Mientras veía la primera temporada, me pregunté si me admitirían con mis cabriolas futbolísticas.

En aquella etapa estaba muy seguro de mis ejercicios. Sabía lo que valía. Y sabía que destacaría en el programa porque en él no había el menor rastro de fútbol. Así que decidí presentarme para la segunda temporada. Envié la solicitud y esperé el día de la audición. El primer día había una larga cola. Mientras aguardaba, miré a mi alrededor para ver a los demás concursantes: había de todo. La gente más estrafalaria y heterogénea. Payasos, bailarines, niños: la cola era de por sí un auténtico espectáculo de variedades. Una auténtica exhibición, casi una exaltación del talento. Algunos estaban allí más para vivir la experiencia que para competir. ¿Y yo? Para mí, ganar siempre ha sido algo muy serio.

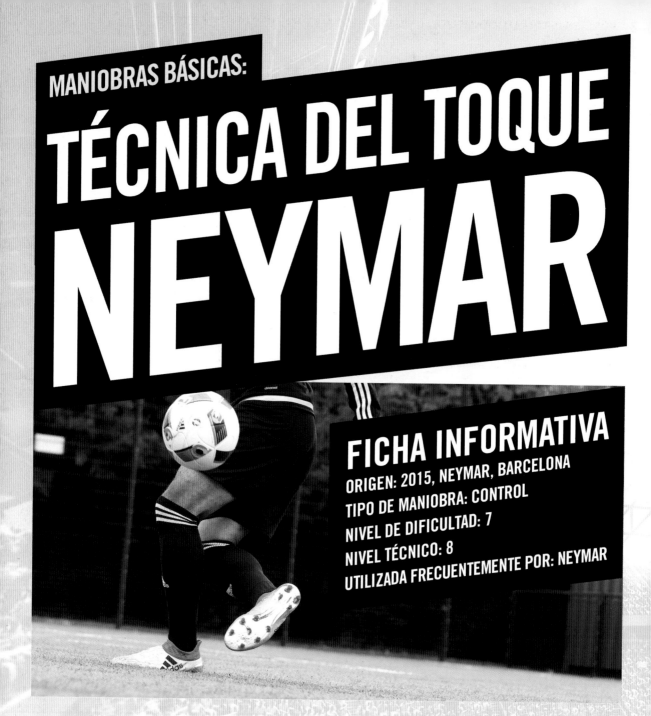

MANIOBRAS BÁSICAS:

TÉCNICA DEL TOQUE NEYMAR

FICHA INFORMATIVA
ORIGEN: 2015, NEYMAR, BARCELONA
TIPO DE MANIOBRA: CONTROL
NIVEL DE DIFICULTAD: 7
NIVEL TÉCNICO: 8
UTILIZADA FRECUENTEMENTE POR: NEYMAR

Jez: A veces solo quieres que el balón (y los demás) sepan quién es el amo. Respuesta: el amo eres tú. Vi a Neymar hacer esto en un partido contra el Betis y el público quedó completamente fascinado. Los partidos de fútbol se juegan tanto para entretener como para ganar y Neymar, que es brasileño, lo sabe mejor que muchos.

El truco para hacer esta maniobra está en apoyarse en la pierna más floja y doblar la otra por detrás, casi rozando la pantorrilla. Hay que dejar muerto el pie levantado hasta que llegue el balón, para que el lateral de la bota amortigüe el impacto. Magia: exactamente como ver jugar a Brasil.

ESPERAR…

…MIENTRAS LLEGA EL BALÓN…

DOBLAR UNA PIERNA DETRÁS DE LA OTRA

DEJAR EL PIE MUERTO

AMORTIGUAR EL IMPACTO DEL PASE

INMOVILIZAR EL BALÓN Y CORRER CON ÉL

MAESTROS DE LA TÉCNICA:

ZINEDINE ZIDANE

«EL PAPÁ DE LOS FUTBOLISTAS ACTUALES.»

ZINEDINE ZIDANE

VELOCIDAD:	6
PREVISIÓN:	10
HABILIDAD:	9
EFICACIA DE GOL:	8
TÉCNICA:	9

F2 TRUMPS

Billy. Zidane es uno de los jugadores favoritos de Jeremy. Él nos dirá más cosas. De todos modos, sé que era un maestro con el balón. Una de las responsabilidades de un profesional es proteger el balón, retenerlo. Y era grandioso ver cómo conseguía que todo pareciera fácil en el terreno de juego.

Jez: Pefecto, parece que hemos llegado al papá de los futbolistas actuales. Tenía mucho talento, mucha elegancia y mucha serenidad. Su previsión de las jugadas desbordaba toda medida y su control era de una brillantez casi inverosímil. Su técnica general te dejaba siempre estupefacto.

Como muchos de nosotros, sintió a edad muy temprana la fiebre del esférico. Aprendió a jugar en las calles de La Castellane, el barrio de Marsella. De allí salió su habilidad y su pasión. Lo que lo caracterizaba, además de tener talento, era que siempre quería estar en posesión de la pelota. No lo vi eludir una jugada ni una sola vez.

Billy: Eso es verdad. Se creía el mejor jugador del campo y su juego estaba orientado a respaldar esa convicción. A veces era como si bailara; se alejaba flotando con la pelota, de pronto paraba, se volvía y cambiaba de dirección. Daba muchas vueltas y hacía amagos dando pasos en falso. Era un hacha conservando la pelota. Mantenía la cabeza alta, los ojos muy abiertos y defendía bien. ¿Le querías quitar el balón? Pues buena suerte. Pero no solo le gustaba lucirse: era un jugador de equipo al ciento por ciento. Conseguía que sus compañeros parecieran mejores.

Jez: Hablemos de su gol contra el Bayer Leverkusen en la final de la Liga de Campeones de la UEFA de 2002. La asistencia vino de Roberto Carlos, un pase cruzado alto que habría derribado a más de un jugador. Pero puedes ver en el vídeo cómo se produce; Zidane se coloca incluso antes de que aterrice la pelota. Eso es serenidad.

Billy. ¡No prepararse es prepararse para hacerlo mal!

Jez: Y el cañonazo que dispara con la izquierda es sublime. Antes de que el cuero cayese ya se estaba volviendo para largar el zapatazo; sabía lo que iba a ocurrir y lo que iba a hacer. Y la lanza hacia donde

«¿LE QUERÍAS QUITAR EL BALÓN? PUES BUENA SUERTE.»

sabe que el guardameta no puede llegar. El gol es la culminación de su movimiento rotatorio.

Billy: ¡Técnica! Sin embargo, fíjate en la cantidad de espacio que tuvo para colocarse. Lo venían considerando el mejor jugador, pero se las apañó para desviar la atención de los defensas del Leverkusen y consiguió disponer de un espacio kilométrico en el mejor partido de la temporada.

Jez: Y ahora dirige el Madrid. Figúrate si se pone a transmitir su genio y hay una cadena de producción de miniZidanes que van saliendo uno tras otro. No sé si volveremos a ver esto en el futuro. Ganó la liga española, la liga italiana, la liga de campeones, los Mundiales, la Eurocopa… la tira. Y no solo eso; también ha definido campeonatos y temporadas.

Billy: Y, además, ha conseguido multitud de reconocimientos personales: ha sido nombrado

Jugador Mundial de la FIFA tres años y ha ganado el Balón de Oro. En las Bodas de Oro de la UEFA fue votado mejor jugador europeo de los últimos 50 años y fue incluido en los 100 de la FIFA, es decir, la lista elaborada por Pelé con los 125 mejores jugadores vivos.

Jez: Figúrate, ¡ser elogiado por Pelé!

Billy: No hace falta que nos figuremos nada; ya dijo que nuestras proezas eran «increíbles», ¿lo recuerdas?

Jez: Desde luego que sí, colega. Yo te pasé la pelota.

Billy: Y yo la escondí.

Jez: Choca esos cinco.

PLANETA F2

Billy: Es indudable que viajar por el mundo es uno de los privilegios de ser Los F2. Vamos de aquí para allá, visitamos lugares asombrosos y hacemos lo que más nos gusta.

Jez: Siempre recordaré la primera vez que estuve en Nueva York. Me dejó pasmado. Me encantó el paisaje, la cultura, la energía. ¡Tampoco la comida estaba mal! Es una ciudad impresionante.

Pero mi país favorito es Brasil. ¡Me encantó muchísimo Río de Janeiro! La playa, las vibraciones… todo es maravilloso. Como sabes, Brasil no es solo un país futbolero. Es el corazón del fútbol. Cuando yo era pequeño, casi todos mis jugadores favoritos eran brasileños. Y todo es como te lo imaginas. La gente juega al fútbol en la playa. Me encantó.

Como ha dicho Bill, poder viajar es un privilegio. Es maravilloso viajar por el mundo haciendo lo que nosotros hacemos. El fútbol es un idioma universal para el que no hay fronteras. Señálanos a una persona y a los dos minutos estaremos peloteando con ella. Es algo que se lleva muy dentro. Es una actividad muy hermosa.

Un lugar increíble para pasar unas vacaciones es Dubái. No tiene mucha historia ni mucha cultura. Es un lugar artificial, fabricado por el ser humano. Pero es de película, y la comida es estupenda.

Billy: Totalmente de acuerdo con Jez en que Nueva York es insuperable. Una cultura asombrosa. He estado allí nueve veces y probablemente habré ido a Italia unas setenta y nueve. Es fascinante. Pero siempre se sacrifica algo con tanto viaje. He pasado todo un verano sin ver a mis hijos, Amelie y Roman, ni a mi mujer, Katie. De todos modos, es el único inconveniente.

Al final de la jornada nos ha encantado enseñar por todo el mundo nuestra experiencia F2. Cuando nos pusimos a escribir este libro ya habíamos estado en todos esos países. Fijaos en nuestras flechas F2. ¡Abarcan todo el planeta!

Jez: ¡Ya es nuestro, hermano!

F2 CAPÍTULO CINCO

LA HISTORIA DE LOS F2:

DE LA CECA A LA MECA

Billy: Una vez leí un anuncio en una revista deportiva: «¿Quieres ser entrenador de la cantera del Arsenal? Rellene este formulario y envíenoslo, a franquear en destino». Recuerdo claramente que rellené el formulario antes de ir a jugar al campo de césped artificial, como siempre hacía. Cuando llegué al campo, tenía el buzón a 500 metros a la izquierda. Me quedé allí, dudando entre echar la carta y no echarla. O la echaba o seguía mi camino hacia el campo. No sabía qué hacer: ¿la echaba? ¿No la echaba? Al final me dije: la echaré.

Recibí la respuesta dos o tres días después: «Hemos preseleccionado que entrene usted en el Arsenal siguiendo el plan de entrenamiento juvenil. Trabajará usted tres días a la semana en el campo». Era un plan escolar. Me adiestrarían para ser entrenador en un curso de dos años. Subí al autobús en Waltham Cross, por encima de la M25, y fui hasta Holloway, al norte de Londres, un trayecto de 90 minutos, ¡toda una epopeya! Nos presentamos unos 36 jóvenes de todo Londres para celebrar la entrevista. Yo no podía con mis nervios. Estábamos allí para competir por 15 plazas. Me di cuenta inmediatamente de que era el único que iba con traje. A raíz de aquello me dieron la beca y así fue como aprendí mi oficio.

Resultó una preparación muy útil para el *freestyle*. Aprendí a ser un buen entrenador, a tratar y hablar con los niños, y a tener confianza delante de ellos. Despertar el interés de los jóvenes es realmente importante para nosotros. Nos ayuda a conseguir que sean perfectos los vídeos de YouTube que les dedicamos. En cualquier caso, es genial poder pensar como los jóvenes y entrar en su mundo. Su universo está despejado, no tienen responsabilidades, todo es abierto y libre.

Una vez que decidí dedicarme al estilo libre, se convirtió en una obsesión. Estaba realmente empeñado en conseguir todo lo que estuviera a mi alcance. Iba solo al campo de césped artificial, me planteaba problemas, como dar en el

«BUSCABA GUÍA Y MOTIVACIÓN DENTRO DE MÍ.»

«MEDITA Y PREGÚNTATE CUÁNTAS PERSONAS DEL ESTADIO SABEN HACER LO QUE TÚ. NO HAY NI UNA SOLA.»

larguero desde 40 metros lanzando en semivolea. No lo dejaba hasta que lo conseguía. Insistía una y otra vez, sin que importara el tiempo que tardaba. Me fijaba metas. Buscaba guía y motivación dentro de mí.

Sentía que se me acumulaba un ímpetu que fortalecía mi convicción de que estaba haciendo lo que debía hacer. La gente empezó a pedirme que hiciera cabriolas en las fiestas de cumpleaños infantiles. Me ofrecían 80 libras por función. Era lo que había estado percibiendo por jugar partidos de 90 minutos. Y ahora lo ganaba en espectáculos de cinco minutos. ¡No había vuelta de hoja! Las cantidades fueron aumentando: 100 libras, 125, 200…

Fue entonces cuando decidí hacer un DVD con una exhibición de estilo libre. Por entonces había muy pocos *freestylers* destacados. En realidad, no había más que uno, un coreano, el señor Woo. Actuó en un anuncio de T-Mobile para el Manchester United, en el descanso. Sabía que había una oportunidad para mí.

Pensé que si yo fuera un niño deseoso de aprender el estilo libre, necesitaría un DVD que me enseñara las maniobras esenciales. Así que recorrí establecimientos y descubrí que no existía ninguno. Yo había aprendido mis cabriolas por mi cuenta, así que estaba en condiciones de hacer aquel DVD que faltaba en el mercado. Se vendió en todo el mundo. Y entonces produjimos el segundo ya como F2.

Fue así de sencillo. Yo quería un DVD. No encontré ninguno en las tiendas, de modo que lo produje yo mismo. Fui el primero en hacerlo. Esta decisión determinó mi trayectoria profesional. Yo aún jugaba en un equipo semiprofesional en mis ratos libres. El capitán del equipo era programador informático. También trabajaba para un canal de la televisión japonesa. Un jueves por la noche estaba yo calentando, dando vueltas al campo, y me acerqué a él: «Oye, Shane, ¿me harías un sitio web?»

Me pidió detalles y le conté mi idea de lanzar un DVD. Dijo: «Está bien, pero tendré que hablar con mi jefe. Es gente que invierte en proyectos como el tuyo. Son un equipo de producción».

La semana siguiente Shane me dijo que una compañía llamada Trifield estaba interesada. Pero antes querían verme en persona. Conocí a una mujer llamada Naomi y nos llevamos muy bien. Si he de ser sincero, nada de esto habría sido posible sin el respaldo de Naomi y Trifield. Todavía estoy agradecido porque creyeran en mí y me dieran una plataforma para despegar en esta profesión. Dijeron: «Produciremos tu DVD, lo financiaremos y te gestionaremos». Así que hicimos el DVD y yo hice una gira por Japón para promoverlo. Fue un éxito. Fue en ese momento cuando empezó en serio mi profesión de *freestyler*.

A raíz de aquello, el periódico *Independent* publicó un reportaje. Les fascinaba la idea de que alguien ganara dinero haciendo malabarismos con una pelota y publicaron un largo artículo a doble página. Se me fueron abriendo puertas. Durante la entrevista me habían preguntado cuál era mi meta más ambiciosa. Dije que era un superforofo del Tottenham y que mi sueño era actuar en el campo de White Hart Lane.

La suerte quiso que el director del equipo leyera la entrevista camino del trabajo. Aquel día había reunión general de directivos. Pusieron el artículo sobre la mesa y dijeron: «¿Qué les parece este tipo? ¿Y si lo contratáramos como símbolo de la hinchada del club?»

Antes de que me diera cuenta, el Tottenham estaba al teléfono ofreciéndome un contrato para ser su *freestyler* oficial. Dijeron que tendría que actuar en los descansos de los partidos, aparecer en los actos de beneficencia del club y dar conferencias estimulantes en las escuelas. Decir sí fue tan fácil como te puedas imaginar.

Mis malabares pasaron a otro nivel y el *Freestyle* se convirtió en un trabajo de jornada completa. Era el primer *freestyler* que conseguía un contrato profesional con un club de fútbol profesional.

Mi nerviosismo creció con mi responsabilidad. Antes de mi primera actuación en el campo del Tottenham estaba tan tenso que dije a mi padre: «¿Y si se me cae el balón delante de todos esos hinchas?» Cuanto mayor es el interés del público, más cuesta hacerlo bien. La presión es más fuerte. Como siempre, mi sabio y querido padre supo apoyarme, como cuando era un pequeño colegial.

Me miró a los ojos y me dijo: «Medita y pregúntate cuántas personas del estadio saben hacer lo que tú. No hay ni una sola».

Tenía razón. Sigo aplicando su mensaje a todo lo que hacemos actualmente Los F2. A fin de cuentas, somos humanos; no somos máquinas. La clave es pensar qué puede significar, en el plan general del universo, la posibilidad de cometer un pequeño error. Yo me preparo lo mejor que puedo y siempre he creído que si puedo decir sinceramente que me he preparado lo mejor que he sabido, puedo dormir con la conciencia tranquila. ¿Qué se puede pedir?

Hablar con niños como parte del trabajo en el Tottenham fue un problema al principio, pero acabó gustándome. En la escuela nunca tuve mucha confianza en mí mismo, salvo cuando se trataba de jugar al fútbol. Pero cuando me dijeron que entrenara y diera charlas, las dos cosas me emocionaron. Al final me sentía muy motivado en aquellos menesteres. Incluso he dado una conferencia a mi hija Amelie… bueno, en su colegio. Es muy satisfactorio poder transmitir mensajes optimistas. Creo que influyen en los niños y eso significa muchísimo para mí.

Conforme crecía el interés por mis ejercicios de estilo libre y mi papel en el club adquiría importancia, fui conociendo a jugadores.

A jugadores realmente famosos. Recuerdo el día que conocí a David Beckham. ¿Cómo podría olvidarlo? Estaba haciendo ejercicios individuales cuando se me acercó Terry Byrne —representante de David y ahora también nuestro— y me pidió que actuara en un acto benéfico con Beckham. Yo estaba calentando y Terry añadió: «No te vuelvas, pero ha llegado David Beckham». Llegó literalmente hasta donde yo estaba, se presentó y estuvo unos ocho minutos hablando conmigo, haciéndome preguntas sobre mi vida. ¡Fue alucinante!

Si he de ser sincero, entre todas las personas famosas que he conocido, David Beckham tiene la aureola más resplandeciente. Cuando estás en su presencia, te das cuenta de que es una superestrella mundial. Recuerdo que al cabo de unos minutos, todavía hablando con él, me dije: ¡es David Beckham! Y de pronto me quedé sin habla. Fue muy curioso. Pero es un hombre educado. Pese a toda su fama y su

éxito, sigue siendo un hombre muy humilde. Y eso no es nada fácil.

¡También conocí al primer ministro! Actué delante de Gordon Brown cuando tenía aquel cargo, el más importante del país. Los Spurs [el Tottenham] habían puesto en marcha un proyecto del gobierno para que los niños de las zonas deprimidas pudieran jugar gratis en nuestro campo. El presidente del gobierno estaba allí para asistir a la inauguración y yo actué en el acto. Me dijo: «Una habilidad increíble» y me estrechó la mano. Yo no cabía en mí de emoción. El aparato de seguridad con que llegó fue de película: diez coches con las ventanillas ahumadas, policía… la caraba.

Además de conocer a profesionales y estrellas, conocí también a otros *frestylers*. No éramos muchos todavía, así que nos veíamos en muchas ocasiones. Hubo uno que destacaba en todas las actuaciones. Se llamaba Jez, o sea, Jeremy Lynch.

LA RABONA

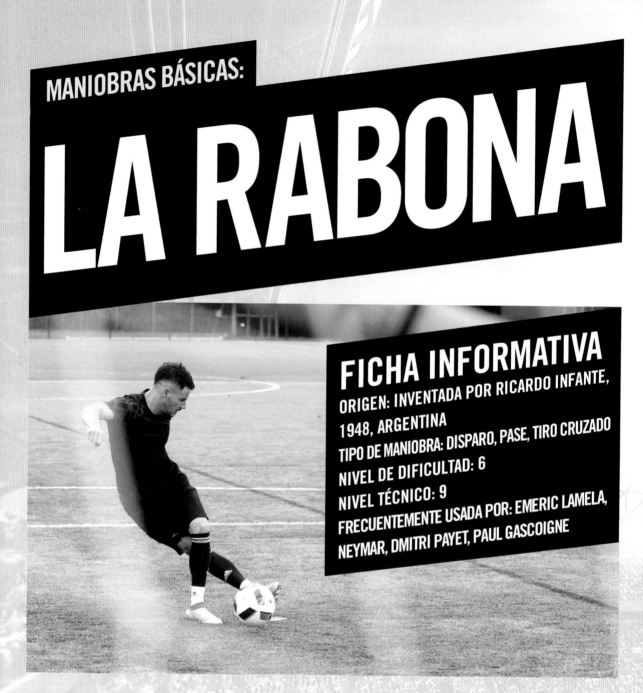

FICHA INFORMATIVA

ORIGEN: INVENTADA POR RICARDO INFANTE, 1948, ARGENTINA

TIPO DE MANIOBRA: DISPARO, PASE, TIRO CRUZADO

NIVEL DE DIFICULTAD: 6

NIVEL TÉCNICO: 9

FRECUENTEMENTE USADA POR: EMERIC LAMELA, NEYMAR, DMITRI PAYET, PAUL GASCOIGNE

Billy: Esta supermaniobra fue inventada en 1948 por un futbolista argentino llamado Ricardo Infante. No solo hizo la primera rabona, sino que, además, marcó un gol con ella: y así apareció una nueva maniobra en el mapa.

Para acostumbrarte a la rabona, golpea la pelota con la pierna más fuerte pasándola por detrás de la que se apoya en el suelo. Esta modalidad se puede utilizar para despistar a un contrario, para no golpear con la pierna más débil cuando la posición no es la idónea o simplemente para lucirse.

Sigue nuestras indicaciones paso a paso y concéntrate en hacer lo necesario para dominar este baile: ¡buena suerte!

ATACA DE LADO Y APOYA EL PIE SECUNDARIO JUNTO AL BALÓN

PASA EL PIE DE GOLPEO POR DETRÁS DE LA PIERNA DE APOYO

GOLPEA EL BALÓN POR DEBAJO CON EL EMPEINE

INICIA EL AVANCE POR UN LADO

CUANDO EL PIE DE APOYO TOQUE TIERRA, DOBLA LA OTRA PIERNA

MANTÉN DOBLADA LA PIERNA DE APOYO

SIGUE EL MOVIMIENTO HASTA QUE LA PIERNA QUE GOLPEA QUEDE RECTA

GIRA LAS CADERAS PARA AUMENTAR EL IMPULSO.

NEYMAR

> **«PASES, MANIOBRAS, GOLPEOS, HABILIDAD, ESTILO LIBRE… NOMBRA LO QUE QUIERAS. SABE HACER DE TODO.»**

Jez: Neymar es un tipo realmente simpático. En cuanto lo conoces te das cuenta de que es una persona auténtica y agradable. Ni un miligramo de arrogancia. Desborda capacidad. Pases, maniobras, golpeos, habilidad, estilo libre… nombra lo que quieras. Sabe hacer de todo. Tiene el lote completo. Creo que muy pronto ganará un Balón de Oro. Es el siguiente supergrande. Después de Messi y Ronaldo, créeme, viene Neymar.

Billy: Cuando hicimos el vídeo con Neymar, estuvimos 45 minutos de peloteo con él. Nos contamos técnicas. Como dice Jez, es un hombre bondadoso. Una buena persona.

Jez: Pero puede estar totalmente callado. Tal vez sea un poco tímido. Al final del vídeo empezó a estar más desenvuelto. Es realmente un tipo simpático, colega. Ayuda en lo que sea. Cuando le haces una sugerencia, aunque sea hacer malabarismos con un rollo de papel higiénico, te responde que sí, que no hay problema.

NEYMAR

F2 TRUMPS

VELOCIDAD:	9
PREVISIÓN:	8
HABILIDAD:	9
EFICACIA DE GOL:	8
TÉCNICA:	10

Billy: Así como a los defensores les cuesta contener a Neymar en el campo, cuesta describir su forma de jugar en pocas palabras. Ha jugado en todas las posiciones de ataque y tiende a dar vueltas por el campo como un profesional. Es electrizante, explosivo y excelente.

Jez: Es todo lo que empieza por «e».

Billy: Absolutamente todo. Tiene gran velocidad y organiza el juego. Aunque nada de esto empiece por «e».

Jez: Lo que me gusta de Neymar es que, a pesar de ser ya uno de los mayores talentos del siglo XXI, afirma que siempre se esfuerza por ser perfecto y por mejorar su juego. Lo cual revela humildad y profesionalidad. Una perspectiva que da miedo, ¿no crees? Tú fíjate: imagina que ahora solo sea la mitad de bueno de lo que puede llegar a ser. ¿Quién lo parará entonces?

Billy: No hay muchos que puedan pararlo ahora. ¿Recuerdas el gol que marcó contra el Flamengo hace unos años? Burló a dos defensas junto a la línea de banda, rebasó a otros dos contrarios con un simple pase y siguió corriendo para recoger la devolución de la pelota. Cuando la recogió, siguió adelante hacia la portería sin hacer caso del defensor que le pisaba los talones, se libró de él con una finta que lo introdujo en el área y entonces, mientras dos defensas y el portero se lanzaban sobre él, tuvo suficiente sangre fría para lanzar a puerta con una vaselina.

«LO HAN COMPARADO CON PELÉ. ¡CON PELÉ!»

Jez: Desenlace perfectamente cronometrado de una jugada de locos. También fue enloquecedoramente bueno cuando nos reunimos para hacer los vídeos. En la prueba del larguero acertó cuatro de cinco, pero las cosas se pusieron realmente marcianas cuando quiso hacer malabarismos con objetos elegidos al azar. Consiguió 39 golpes con una naranja, 38 con un rollo de papel higiénico y 25 con un calcetín.

También el peloteo fue increíble. Y todo el tiempo con una frialdad de espanto. Fíjate en sus maniobras. Una de mis favoritas es el cohete.

Billy: Pisa el balón lateralmente con el pie hábil, le mete la puntera debajo y lo levanta con el mismo pie. Utiliza el empeine del otro pie y el talón del pie fuerte. Es tremendamente efectivo y vale la pena que lo practique cualquier jugador, sea profesional o no. Lo ha hecho muchísimas veces, pero siempre consigue que los hinchas se levanten del asiento.

También me fascina el Wingrove-Cruyff. Se lo enseñamos a Neymar, pero aún le falta utilizarlo en un partido. Tocas el balón con el borde interior de la bota, rodeas por detrás el balón con el mismo pie y lo golpeas con el borde exterior, cruzas por detrás del balón la pierna de apoyo pero de modo que aterrice delante, y echas a correr.

Jez: Cuando oyes a gente que ha trabajado con Neymar, suena una y otra vez la misma palabra: genio. Fíjate en los tres goles que le metió al Inter [Inter do Porto Alegre]. Para marcar uno corrió a 31 kilómetros por hora con la pelota pegada a la bota derecha. A lo largo de 65 metros dejó clavados a cinco jugadores contrarios. Lo han comparado con Pelé. ¡Con Pelé! Ronaldinho y Ronaldo creen que llegará a ser el mejor jugador del mundo. Aceptable perspectiva, ¿no crees?

Billy: Es que es ejemplar… otra palabra que empieza por «e».

Jez: …

GALERÍA DE FAMOSOS DE LOS F2

UNA DE LAS MEJORES COSAS DE ESTAR EN LOS F2 ES QUE ALTERNAMOS CON SUPERESTRELLAS DEL DEPORTE. HE AQUÍ LOS QUE HEMOS CONOCIDO HASTA LA FECHA. ¡SEGURO QUE SE PUEDE FORMAR UNA ESCUADRA EXCELENTE CON ESTA PANDILLA!

RONALDINHO WRIGHT NACER CHADLI VAN PERSIE PELÉ
PIRLO DI MARIA ROBBIE KEANE
RIO FERDINAND PIQUÉ CRISTIANO RONALDO
SOLANKE GIBBS BOLASIE SUÁREZ HART SCHWEINSTEIGER
VAN DER VAART IBRAHIMOVIC ZIDANE AUBAMEYANG ASHLEY COLE
DELE ALLI
MATA HERRERA DALEY BLIND
MARCELO NANI ABDULRAHMAN
BALE ÖZIL HAZARD
ROBINHO ZAHA VILLA NEYMAR
PISZCZEK BRADLEY WRIGHT-PHILLIPS DIEGO COSTA SCHMELZER MESSI
TURAN HUMMELS TER STEGEN WALCOTT SHAUN WRIGHT-PHILLIPS
MAHREZ OSCAR YOUNG GERRARD

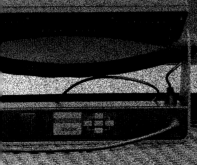

CAPÍTULO
SEIS

LA HISTORIA DE LOS F2:

EN BUSCA DE

MARADONA

Jez: Estaba rodeado por miles de personas con talento, de modo que era una locura creer que podía ser el mejor. Pero es que entonces era joven y tenía esa fijación, que si quería hacer algo, tenía que hacerlo y, además, ser el mejor. Y según se demostró, yo era de los mejores. Gustaba al público. Una vez más, se trataba de que se viera algo que no se había visto hasta entonces. Nunca había habido exhibición de fútbol de estilo libre en *Gran Bretaña tiene talento*. Tenía mucha confianza, creía en mí mismo. Sabía que era bueno. Desde el principio me comporté con una audacia que llamó la atención de Simon Cowell y que pareció gustarle.

Pasé las primeras etapas. Para ser sincero, fue fácil. Llegué a la etapa de la decisión de los jueces y arrollé. Dijeron que mi actuación había sido lo mejor que se había visto en Londres aquel año y extraoficialmente se me dijo que iba a ganar.

Pero durante la actuación en vivo, comí más de lo que podía masticar. Necesitaba en mi oído la voz de la experiencia, alguien que me dijera: «Jez, puedes hacerlo al 60 por ciento y llegar a la final como una seda. Y en la final podrás hacerlo al 70 por ciento y ganar sin problemas». Pero no contaba con esta asistencia, así que me jugué el todo por el todo y quise hacerlo al cien por cien. Cometí un par de errores y no pasé a la final.

Quedé totalmente desolado. Los jueces me querían. Amanda dijo que yo le gustaba mucho. Simon también me quería, dijo que le gustaba mi audacia. Dijo que se veía reflejado en mí, en mi confianza, en la inquebrantable fe en mí mismo. De Piers no estaba tan seguro. Pero en cuanto empecé a cometer errores se acabaron las simpatías.

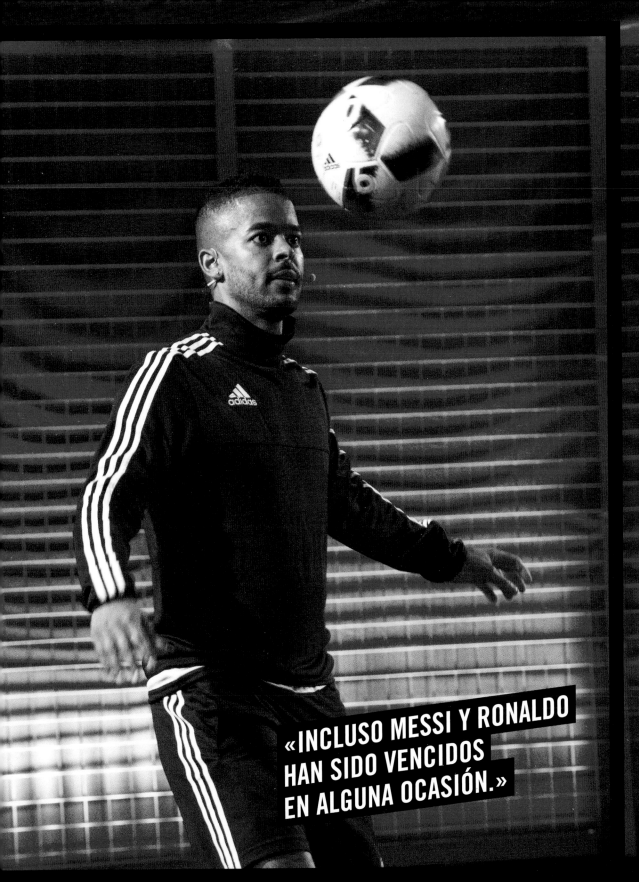

«INCLUSO MESSI Y RONALDO HAN SIDO VENCIDOS EN ALGUNA OCASIÓN.»

Cuando trabajas con un balón siempre existe la posibilidad de hacerlo mal, aunque solo sea fallar un golpe por un milímetro.

Así que se sintieron obligados a decirme que había llegado el final del trayecto. Nuevamente se me decía que lo había hecho bien, pero que la función había acabado. En aquel momento fue como si el mundo se me hubiera caído encima. Me sentía tan por los suelos como en el Arsenal. Pensaba que se me había humillado públicamente. Soy un perfeccionista y no estaba satisfecho ni de mi actuación ni de mí mismo.

Pero ¿sabes una cosa? Aún hay gente que se me acerca y me dice: «Jez, ¡aún nos acordamos de cuando estuviste en *GB tiene talento*!» Esto venía a demostrar que incluso las meteduras de pata en directo tienen repercusión, que la gente, a veces,

recuerda más a los que la pifian que a los que lo han hecho bien. Cuando me vi delante de toda la gente no estaba totalmente en sintonía. Estaba lleno de confianza y creo que aquello se notó. Simon me dijo: «Definitivamente, tienes calidad de estrella». Y esa aptitud se ha fortalecido desde entonces. Simon estuvo cordial conmigo entre bastidores. Me di cuenta de que me distinguía y de que estuvo más amistoso conmigo que con la mayoría de los demás concursantes. Quedó fascinado conmigo. Es pasmoso que supiera percibir el potencial más aprisa que la mayoría.

Procuro poner buena cara al mal tiempo. Siempre hay equivocaciones y reveses. Incluso Messi y Ronaldo han sido vencidos en alguna ocasión.

Muy poco después me pidieron que apareciese en una película titulada *In the Hands of the Gods*, un documental de 2007. Iba a ser la historia de cinco *freestylers* británicos que hacen un viaje desde América del Norte hasta Argentina, con la esperanza de conocer a su héroe, Diego Armando Maradona. La idea era que nos costeábamos el viaje haciendo exhibiciones futbolísticas en las calles y encontrábamos alojamiento mediante trucos picarescos. La película estuvo producida por verdaderos talentos, como Ben Winston, que había trabajado con One Direction, el Manchester United y James Corden, y Gabe Turner, que había trabajado con Usain Bolt.

Fue genial. Una aventura de cinco semanas para conocer a Diego Armando

«ME SIENTO ORGULLOSO DE HABER SIDO FIEL A MIS CONVICCIONES.»

Maradona. Era en la época en que se comportaba como un hombre escurridizo. La gente se preguntaba dónde estaría, qué estaría haciendo. Posteriormente se ha vuelto más visible, se dedica a entrenar y cosas por el estilo. Está a la vista de todos. Pero por entonces nadie sabía en qué andaba metido.

Era una idea brillante y fue una gran película. El momento clave era cuando conseguíamos dinero suficiente para comprar dos pasajes de avión de Estados Unidos a Argentina. Teníamos que decidir qué hacer. Yo me atuve a mis valores, que se basaban en la lealtad. Pensaba que como éramos cinco, debíamos seguir unidos, seguir siendo un grupo, pero hubo divergencias, porque algunos querían ir por su cuenta. Tuvimos una discusión. Yo sigo aferrado a mis principios de entonces: hay que ser leal con los amigos, del mismo modo que somos leales con la familia. Permanecer unidos y vivir o morir como un equipo.

Yo no llegué a conocer a Maradona, otros sí. Pero en términos generales, hacer la película fue una experiencia memorable. Aprendí mucho de ella. Supe qué era lo que hacía que una película fuese buena, tanto si se trataba de una película de ficción como si era un vídeo de YouTube. Un giro dramático en el argumento no es perjudicial. Visto en perspectiva, la discusión que tuvimos y la votación que siguió contribuyeron a la calidad del resultado. Me doy cuenta ahora. De todos modos, me siento orgulloso de haber sido fiel a mis convicciones. Y seamos sinceros, ¿lo habríamos conseguido si hubiéramos seguido juntos? No lo sé. Pero en mi opinión, lo que empiezas como equipo,

debes terminarlo como equipo. Lo creo firmemente.

El documental se proyectó en cines. Obtuvo una buena respuesta por parte del público y acabó por considerarse uno de los mejores docudramas británicos de todos los tiempos. Todo esto contribuyó a fortalecer mi confianza en un momento en que no siempre me sentía seguro. Fue una curva de aprendizaje. Poder ejercitar mi estilo libre también me ayudó. Tener que actuar. Lo que aprendí muy pronto fue que no debía transmitir pesimismo al público. Quienes me observan sentirán en sí mismos lo que crean ver en mí como intérprete. Así que aprendí a proyectar confianza. Me lo tomé como un ejercicio diario y acabé por ser muy diferente del chico tímido que había sido.

Gracias a la publicidad conseguida en el programa de televisión, lancé mi primer vídeo en YouTube. Fue antes de la fundación de Los F2 y solo aparecía yo haciendo cabriolas de mi invención. Hice el vídeo porque quería que apareciera al mismo tiempo que la película. Imaginaba que la gente que viera la película se preguntaría: «¿Quién será ese Jeremy Lynch?» Y quería que apareciese el vídeo cuando escribieran mi nombre en el buscador de Google. No sé si ocurrió así, pero el vídeo acabó siendo viral, de modo que da la impresión de que todo formaba parte de un plan.

Filmé el vídeo con una videocámara portátil. Hice que mi primo montara la cinta porque yo no sabía nada de edición. Se ha visto millones de veces. Era la primera vez que mi nombre salía en Internet. No tardé en estar en el circuito y conocí a un tipo que cambió mi vida hasta un límite inimaginable.

MANIOBRAS BÁSICAS:
WINGROVE-CRUYFF

FICHA INFORMATIVA

ORIGEN: INVENTADA POR BILLY WINGROVE, UK
TIPO DE MANIOBRA: REGATE
NIVEL DE DIFICULTAD: 8
NIVEL TÉCNICO: 9
UTILIZADA FRECUENTEMENTE POR: B. WINGROVE

Billy: Imagina un potente cóctel con lo mejor que tengo yo y lo mejor de la superleyenda del fútbol holandés Johan Cruyff. Cruyff era famoso por dejar a los defensas clavados en el sitio. Tenía un cerebro tan rápido como los pies. No me extraña que fuera el ídolo de Pep Guardiola.

Los holandeses tienen fama de afinar la habilidad dando 10.000 toques diarios al balón. Y para hacer esto se necesita un poco de práctica: la clave está en seguir los pasos atentamente y adquirir velocidad poco a poco. Y recuerda: cualquier cosa que haga Jo-han, vosotros podéis hacerla mejor… (perdón, perdón).

TOCA LA PELOTA CON EL INTERIOR DE LA BOTA

LUEGO CON EL BORDE EXTERIOR...

...GOLPEA DE REFILÓN HACIA ATRÁS, LIGERAMENTE

PASA LA PIERNA DE APOYO POR DETRÁS DE LA PELOTA...

... PERO QUE ATERRICE DELANTE DE ELLA

ADELANTA EL BALÓN CON EL ARCO DEL PIE QUE TIENES DETRÁS DE LA PIERNA DE APOYO

...Y A CORRER

EDEN HAZARD

«¿CUÁNTAS VECES LO HEMOS VISTO ENGAÑAR A LOS DEFENSAS?»

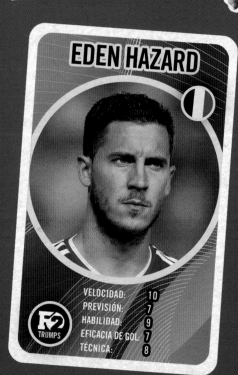

EDEN HAZARD

VELOCIDAD:	10
PREVISIÓN:	7
HABILIDAD:	9
EFICACIA DE GOL:	7
TÉCNICA:	8

F2 TRUMPS

Billy: Eden Hazard es otra de esas superestrellas con las que da gusto trabajar. En realidad, es un hombre bajo, con unos pies increíblemente veloces. Le planteamos un problema: lanzar el balón al larguero con una rabona. Casi todos los jugadores tenían que intentarlo dos veces, pero ¿él? Él lo consiguió a la primera. Para mí, eso lo dice todo. Su talento es increíble y lo demuestra una y otra vez. Creo que no dejará de mejorar. No creo que hayamos visto ya todo lo que puede dar de sí, de ningún modo.

Jez: Si buscas un futbolista que lo tenga todo, Eden Hazard ha de figurar en tu lista. Tiene una velocidad de vértigo, un equilibrio increíble y una capacidad creativa alucinante. Es tranquilo y se adapta a las situaciones más difíciles.

Billy: Es muy versátil. Ha jugado en los flancos, de centrocampista de ataque, un número diez. Ha hecho de todo. Cuando Diego Costa estuvo lesionado, adelantaron su posición y marcó la diferencia. Y sabe responder a los deseos del míster. Cuando Mourinho le dijo que trabajara un poco más y llegara un poco más atrás, cumplió como es debido. Sin caras largas, solo una respuesta profesional y en eso se nota que es un jugador completo.

Jez: Es verdad, es un deportista que va adquiriendo fortaleza. Torea las entradas y se recupera aprisa cuando recibe algún golpe. Los jugadores con estilo no siempre son tan resistentes. Además, este hombre tiene verdaderas ganas, es como si nunca estuviera satisfecho. Y unos pulmones… tiene la capacidad de un toro. Por eso es verdad lo que dices, tiene todo lo que quieres en un jugador.

Billy: Y qué pases hace…

Jez: Sí, es capaz de colocar la pelota con mucha seguridad. Por eso hace tantas asistencias, porque

consigue que la pelota haga lo que quiere. Es realmente fantástico. ¡Me encanta verlo jugar!

Billy: ¿Y cuando nos reunimos con él para hacer el vídeo? ¡Nos pusimos hablar de entrenamiento con el maestro! Habría que haberte castigado haciendo flexiones cuando deshiciste la cadena.

Jez: Gracias por recordármelo, amigo. Y mira quién fue a hablar. ¡Él te sacó una tarjeta amarilla!

Billy: ¡Ja! Fue justo. Pero su tiro al larguero fue más que eso. Y encima se dio la vuelta para irse.

Ni siquiera se quedó allí para ver si le daba. ¡Lo sabía de antemano!

Jez: Dice que ya de pequeño estaba obsesionado por la destreza con el balón. A los seis años se pasaba horas jugando sin que la pelota tocara el suelo, además, domina la maniobra del túnel e imita la ruleta de Maradona. Y todo con buenos resultados; ¿cuántas veces lo hemos visto engañar a los defensas? Los sobrepasa siguiendo su trayectoria errática y ellos acaban resbalando y patinando kilómetros más allá.

Billy: ¡Resistir no sirve de nada! Eso demuestra una vez más que lo que rinde es la perseverancia. Los ejercicios que empezó a hacer de pequeño dieron su fruto. ¿Recuerdas el doble túnel que hizo frente al Southampton? ¡Bum, bum! ¡Hasta luego!

Jez: Y la gente dice que debería trabajar el lanzamiento a puerta para ser realmente grande, pero en mi opinión su eficacia de gol es de escándalo. ¿Recuerdas el golazo que metió al Liverpool con una jugada en solitario? Fue un espectáculo magnífico: me gustó cómo se tomó su tiempo para organizar la jugada. No echó a correr a tontas y a locas, poniendo en peligro la posesión del esférico. Retrocedió, adelantó, fue incluso de lado, todo para no soltar el cuero. Y cuando llegó el momento oportuno, se metió en el área y marcó.

Billy: Es que incluso su forma de lanzar los penaltis pertenece a una categoría especial. La próxima vez que lo veas correr hacia el balón, fíjate en su lenguaje corporal. No da ninguna indicación y el portero no sabe con qué pie va a chutar ni hacia dónde. Lo han comparado con Messi y con Ronaldo. Hay poco que sea mejor que eso.

«LOS EJERCICIOS QUE EMPEZÓ A HACER DE PEQUEÑO DIERON SU FRUTO.»

FORMA EL EQUIPO DE TUS SUEÑOS

(Y ENVÍANOSLO A NUESTRO TWITTER @F2FREESTYLERS CON LA ETIQUETA #F2FC)

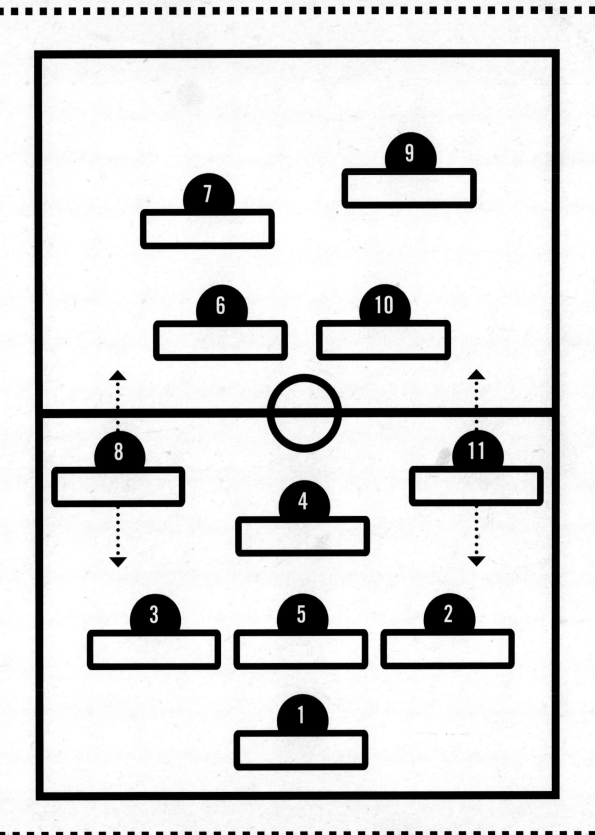

CAPÍTULO
SIETE

LA HISTORIA DE LOS F2:

EL ORIGEN: LOS F2

Billy: Me acuerdo cuando vi a Jez por primera vez. Fue en un certamen futbolístico que se celebró en Redbridge. No sé quién había querido formar un grupito de librestilistas llamado… The Freestylers.

Jez: Un nombre fantástico. ¿Cómo se les ocurrió?

Billy: ¡Ja, ja! Para ser sinceros, la idea no fue muy lejos. Llegamos nosotros y allí estaba Jez, haciendo jueguitos con un compañero. Lo miré y pensé: Vaya, este tío es realmente bueno. Me presenté y congeniamos enseguida. Vino con nosotros y se unió a The Freestylers.

Entonces era un chico muy callado, demasiado a veces. Es cristiano, iba a un colegio privado y no había tenido mucho contacto con el mundo exterior. Lo digo en serio. Era muy sensible de niño.

Jez: Es verdad. Porque era muy tímido, ya sabes. Hoy me parece increíble, pero era muy introvertido por entonces.

Billy: Pero no tardó en salir del cascarón. Hicimos nuestro primer trabajo juntos para una compañía constructora. Fue una exhibición que se celebró en Birmingham. Éramos cinco. Yo y Jez nos llevábamos muy bien. Nos hicimos muy buenos amigos. Empezamos a hacer juntos trabajos esporádicos que nos iban saliendo. Yo tenía un agente; Jez había salido de *Gran Bretaña tiene talento*, pero no tenía agente, o sea que tenía entusiasmo pero carecía de la orientación imprescindible.

Le dije que fichara con mi agente y lo hizo. Seguimos trabajando juntos. Nos separamos del agente y decidimos crear un dúo de deportistas. Teníamos la impresión de que en cierto modo era el año cero, porque cada uno tenía su personalidad: yo con el Tottenham, Jez recién salido de *GB tiene talento*. Tuvimos que sacrificar estos rasgos individuales y ponerlo todo en la sociedad común. Fue emocionante para ambos integrarnos en un dúo.

Cada vez había más gente que quería dedicarse al estilo libre. Y cada vez había más marcas de prestigio que contrataban a

«ALLÍ ESTABA JEZ, HACIENDO JUEGUITOS. LO MIRÉ Y PENSÉ: VAYA, ESTE TÍO ES REALMENTE BUENO.»

freestylers. La demanda crecía como la espuma. En consecuencia, la competencia era cada vez más dura. Al final de cada temporada había más caras nuevas. El listón subía y eso significaba que teníamos que perfeccionarnos.

Jez: Sí, los dos teníamos ya una personalidad, pero dejamos a un lado nuestra identidad individual y lo fundimos todo en Los F2. Un nuevo logotipo, una nueva identidad conjunta. Fue una gran decisión, porque Billy tenía ya 5.000 seguidores en su cuenta de YouTube. Perderlos para buscar un público combinado

fue un acto de valentía. Ahora tenemos más de 6 millones de seguidores, así que fue una decisión acertada.

Convinimos en que dedicaríamos todo nuestro tiempo y nuestra energía a Los F2. Nos entregaríamos en cuerpo y alma. Los dos creíamos en el proyecto y sabíamos que tenía un potencial gigantesco. Por suerte, salió mejor de lo que imaginábamos, ¡e imaginábamos que sería grandioso!

Billy: Si nos hubiéramos dedicado al fútbol normal y corriente, ¿quién sabe si

hubiéramos llegado tan alto? Yo creo que Jez habría llegado.

Jez: Tengo la impresión de que Bill es un poco modesto a veces. Pienso que habría llegado más alto de lo que cree. Pero nos iban saliendo tantas oportunidades que teníamos que seguir con las cabriolas y dedicarnos a ellas. No podíamos hacer las dos cosas. Nadie sabe hoy lo que habríamos conseguido en el fútbol normal si hubiéramos dedicado nuestras energías a jugar en un equipo. Creo que está más allá de toda conjetura. Pero me gustaría hacer un documental con los dos jugando en un partido. Sería interesante ver qué nivel tendríamos. Creo que tendríamos un nivel muy alto. Bueno, al menos me gusta creerlo.

Billy: El caso es que ha funcionado. Lo que hacemos nosotros no se ha hecho nunca en la

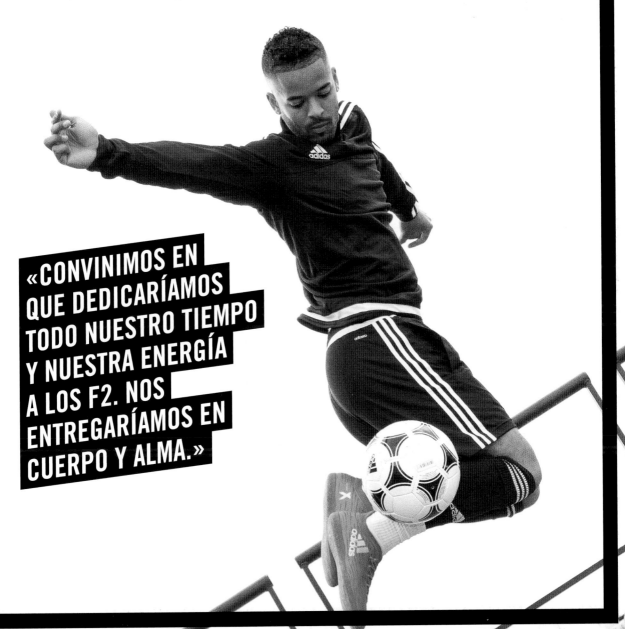

«CONVINIMOS EN QUE DEDICARÍAMOS TODO NUESTRO TIEMPO Y NUESTRA ENERGÍA A LOS F2. NOS ENTREGARÍAMOS EN CUERPO Y ALMA.»

historia de la humanidad. ¿Quién podía predecir la rapidez con que los medios sociales invadirían el mundo?

Nunca competimos entre nosotros, siempre estamos unidos. Lo compartimos todo. Los dos queremos que el otro sea el mejor.

Jez: Lo que sí recuerdo es que nos llevamos muy bien desde el principio. No sabíamos que estábamos a punto de crear una de las superpotencias futbolísticas más grandes de los medios sociales, pero hubo mucha química desde el comienzo. Nos cruzamos muchas veces, porque en aquellos tiempos éramos más bien pocos los que nos dedicábamos a esto.

Billy: Somos una combinación perfecta porque somos muy diferentes. Jez es muy creativo, toca el piano, es tranquilo, relajado, sereno, se toma su tiempo. Si fuéramos iguales, seguramente discutiríamos. Pero nunca discutimos. Francamente, no creo que haya ningún equipo cuyos miembros se lleven tan bien como Jez y yo.

Jez: Es verdad.

Billy: Y, además, es un tipo muy ingenioso. Me hace reír mucho. Es realmente gracioso. Muy bromista. Gasta bromas a todo el mundo. Eso es importante cuando estás filmando, hace las cosas mucho más fáciles.

Jez: Gracias, hermano. No creo ser el tipo más gracioso del mundo, pero creo que tengo cierto sentido de la oportunidad cómica. Ante la cámara hago mucho el payaso, pero también soy persona seria. Tengo la cabeza

sobre los hombros y los pies en el suelo. Soy inteligente y pienso estratégicamente. Es una de mis características. También tengo una faceta de payaso. Soy las dos cosas. Sé cómo hacer que un vídeo sea divertido, haciendo el ganso durante la filmación o editándolo para que resulte más divertido aún.

Billy: Es verdad. Su comportamiento fuera de cámara es tan divertido y a veces más divertido aún que delante de la cámara. A veces no paro de reír cuando vuelvo a casa. Le mando un mensaje de texto y le digo lo mucho que me divierte. A veces basta con que me mire en determinado momento.

Jez: El estilo libre ha evolucionado. Nosotros estuvimos en la primera ola, fuimos los pioneros. Pero hay una diferencia: muchos *freestylers* actuales empezaron haciendo estilo libre. Querían practicarlo desde pequeños, empezaron a practicar de niños y es lo único que querían hacer. Pero en el caso mío y de Billy, nuestra base ha sido siempre el fútbol. De niños queríamos ser futbolistas, jugamos en equipos juveniles de canteras y mantuvimos un alto nivel de forma. Hacer cabriolas fue para nosotros como una derivación del fútbol. Luego convertimos en oficio esas cabriolas.

Pero el mercado se saturó y llegó a un punto en que todo empezó a parecer muy visto. Ya no era algo nuevo. Era casi imposible impresionar a la gente, conseguir que el público reaccionara como en los primeros tiempos.

Fuimos de los primeros en percibir que la novedad había envejecido. ¿Qué podemos hacer ahora? ¿Seguir trabajando al máximo, entretener, ser lo que siempre hemos sido? ¿Cómo mantener el factor sorpresa?

MANIOBRAS BÁSICAS:

EL KNUCKLEBALL DE RONALDO

FICHA INFORMATIVA

ORIGEN: PUEDE SER RASTREADO EN EL BEISBOL DE PRINCIPIOS DEL SIGLO XX

TIPO DE MANIOBRA: CAÑONAZO

NIVEL DE DIFICULTAD: 10

NIVEL TÉCNICO: 10

UTILIZADA FRECUENTEMENTE POR: CRISTIANO RONALDO, JUNINHO PERNAMBUCANO, GARETH BALE

Jez: Me encantan los trallazos con efecto aleatorio, a ti también, a todo el mundo le encantan. Vamos a enseñarte a lanzar el tiro libre característico que han perfeccionado jugadores como Cristiano Ronaldo, Gareth Bale y otros.

El objetivo de este trallazo es que la pelota se desvíe en el aire. No hace falta pegarle muy fuerte, pero hay que pegarle bien. Cuando hayas seguido estos pasos, todo consistirá en practicar, practicar y practicar. Tal vez tardes mucho en alcanzar la perfección, pero cuando la consigas, serás invencible.

Ahora que lo pienso, hay algunos a quienes no les gustan los golpes con efecto aleatorio: los porteros.

ACERCATE AL BALÓN DE PUNTILLAS, EN UN ÁNGULO DE 45 GRADOS

GOLPÉALO UN POCO POR DEBAJO DEL CENTRO CON EL PUNTO MÁS DURO DEL EMPEINE, Y CON LA PUNTERA HACIA ABAJO.

FRENA EL PIE AL DAR EL GOLPE: NO ES NECESARIO QUE ACOMPAÑE AL BALÓN

PROCURA GOLPEAR EL BALÓN CON EL EMPEINE

INCLÍNATE HACIA ADELANTE CUANDO CORRAS HACIA EL BALÓN

EL BALÓN NO GIRA EN EL KNUCKLEBALL PERFECTO

EL KNUCKLEBALL PERFECTO...

...ES IMPARABLE

STEVEN GERRARD

«HAY POCOS JUGADORES EN LA HISTORIA DEL FÚTBOL QUE LANCEN CON TANTA EFICACIA COMO STEVIE.»

STEVEN GERRARD

VELOCIDAD:	8
PREVISIÓN:	9
HABILIDAD:	7
EFICACIA DE GOL:	10
TÉCNICA:	7

F2 TRUMPS

Jez: Este hombre dispara con más eficacia que ninguno con los que hayamos trabajado. Es, además, un gran tipo, realmente humilde. Piensa en todo lo que ha conseguido y a pesar de eso tiene los pies totalmente en el suelo. Nos llevamos estupendamente y desde entonces nos hemos visto unas cuantas veces. Ahora somos colegas. Le pedimos a él en concreto que hiciera más vídeos con nosotros porque se lo pasó bomba.

Fue un gran día. Disfrutamos como enanos lanzando balones durante tres cuarto de hora. Una de mis experiencias favoritas desde que fundamos Los F2. Da unas patadas con una fuerza y un ímpetu que son casi increíbles cuando los ves al natural. Hay pocos jugadores en la historia del fútbol que lancen con tanta eficacia como Stevie. No nos defraudó, estuvo absolutamente fantástico.

Billy: Totalmente de acuerdo. Si buscas a un hombre que haya definido a un club y que haya sido definido por un club, no encontrarás mejor ejemplo que Steven Gerrard. Entró en el Liverpool con nueve años y nunca ha jugado con ningún otro club británico; se quedó con los Rojos. Fue Míster Liverpool.

Jez: Y no es que le faltaran ofertas. ¿Cuántas veces trató José Mourinho de llevárselo al Chelsea?

Billy: Montones. Tampoco me extraña. ¡Qué jugador era! Tenía ritmo, energía y su ética personal del juego. Pero tenía algo más que fuerza: tenía previsión, habilidad y la precisión de sus pases era asombrosa. Y era capaz de dejar clavados a los defensas. Se lanzaban sobre él, pero él les decía: «¡Hasta luego, chicos!» Por no decir que tenía un golpe potentísimo. ¿Cuántas veces marcó desde un kilómetro de distancia?

Jez: Siempre parecía llegar en el momento oportuno de disparar a puerta. Ese sentido de la oportunidad es una forma de genialidad, ¿no crees? Y en el aire también era mejor de lo que se cree a veces. Cuando pienso en Gerrard lo recuerdo como un delantero centro espeluznantemente bueno, pero también jugó en otras posiciones en su época: centrocampista defensivo, centrocampista de ataque, lateral

«FUE MÍSTER LIVERPOOL.»

derecho, extremo derecho… ¡A veces ha jugado incluso de segundo ariete!

Billy: Parecía el amo de los partidos, ¿verdad? En la final de la Champions de 2005 fue el detonante de la reacción inglesa. Él inició la remontada de los tres goles de ventaja que tenía el Milan. Estaban muertos y enterrados cuando terminó la primera parte. Pero entonces marcó el primer gol del Liverpool y luego consiguió un penalti. Y cuando nos dimos cuenta, zas, el Liverpool volvía a casa con la copa.

Jez: Mi partido favorito de toda la historia. También recuerdo cuando batió al Olympiakos prácticamente él solo, y los dos goles que metió al Madrid, y el triple del derbi de Merseyside. Un jugador de una pieza con un gran corazón.

Billy: Debe de tener el aparador lleno. Ha ganado de todo, además de la Premier: la copa de la UEFA, las de la Asociación inglesa (FA Cup), las de la liga, y las gorras inglesas de internacional, naturalmente.

Jez: ¿Cuál es el gol de Gerrard que prefieres?

Billy: Quizá el que marcó de volea contra el West Ham en la final de la copa de la Asociación inglesa. Fue algo especial. Seguramente estaba a más de 30 metros de la portería. E hizo la misma jugada contra muchos otros equipos, entre ellos el Manchester United. Dejó a Barthez boaquiabierto. Esos dos goles por sí solos demuestran que tenía los mejores momentos cuando más falta hacía.

Jez: Nada que objetar. Un icono total y un hombre con el que no podremos volver a trabajar.

DISEÑA TUS PROPIAS BOTAS

(Y MIRA CÓMO SE ACTIVAN)

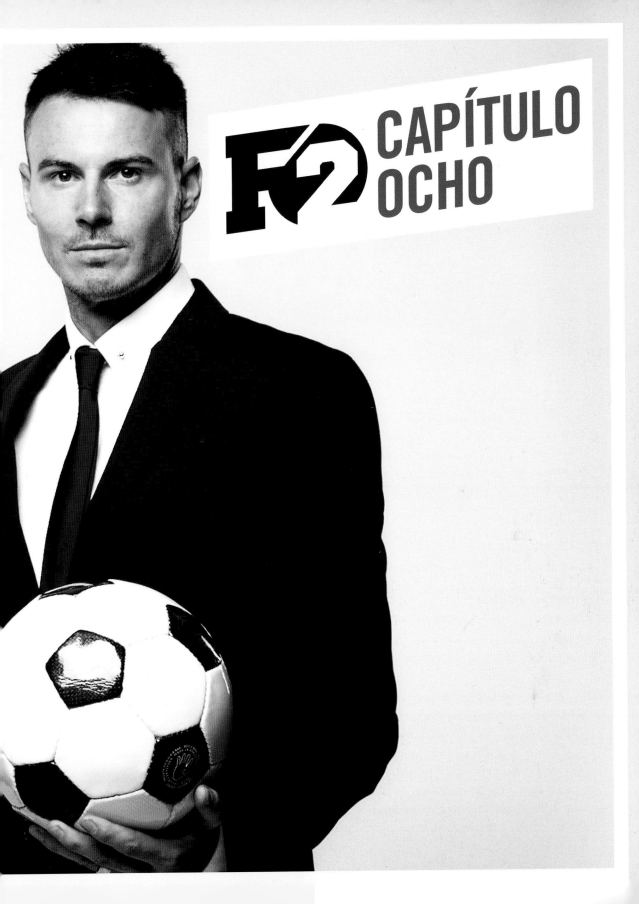

CAPÍTULO
OCHO

LA HISTORIA DE LOS F2:

SIGUIENTE NIVEL: LOS F2

Jez: A Billy se le ocurrió la idea de crear un dúo porque hasta entonces no había existido ninguna pareja que hiciera estilo libre. Seríamos los primeros. Y lo fuimos. Fue nuestro lugar en el mercado. Nos dijimos: Muy bien, es nuestro lugar y eso es genial. Pero ¿podemos hacer algo más para que sea más nuestro? Entonces se nos ocurrió hacer las actuaciones vestidos con traje. Fue un detalle muy comercial porque en el *freestyle* no se hacía de ese modo. Se consideraba un ejercicio callejero junto a una pared de ladrillo cubierta de grafitis. Era como el entorno obligado del estilo libre: muy urbano. Nosotros pensamos que atraería al mundo empresarial, cenas de gala, ceremonias de entrega de premios. Pasamos meses trabajando en un número básico para dos. Nuestro lema tácito iba a ser: todo excelente. Todavía procuramos que sea así.

Antes de un año nos invitaron a inaugurar la ceremonia del Balón de Oro. Fue la experiencia más surrealista, emocionante y tensa que hemos vivido.

Y nos salió realmente bien. El público estaba literalmente repleto de estrellas: de Messi a Ronaldo, pasando por Mourinho y Guardiola. Todo el que era alguien en fútbol estaba allí: y los ojos de todos en nosotros. No teníamos más que dos balones y sendos trajes. Ofrecimos un espectáculo arrollador. Sin errores, sin pérdidas de balón, limpio, ordenado, todo en el momento exacto. La respuesta del público fue increíble. Luego nos buscó Cristiano Ronaldo para decirnos que estaba muy impresionado y muy complacido.

Después de aquello conseguimos muchos encargos. ¡Éramos sin discusión el dúo del *Freestyle*! Y una vez más nos dijimos: ¿cómo podríamos pasar a un nivel superior? Así que entramos en el canal YouTube. Vimos que los medios sociales estaban comenzando algo nuevo. YouTube era algo nuevo, Instagram y Snapchat no se habían inventado aún, Facebook era distinto de lo que es ahora. Era un medio para que amigos y familiares estuvieran en contacto y se pusieran al día.

«NUESTRO LEMA TÁCITO IBA A SER: TODO EXCELENTE.»

Incluso Twitter era relativamente nuevo. Pero nosotros sabíamos que los medios sociales iban a crecer mucho, cada vez más. Como en todas las cosas, teníamos que ser más previsores que reactivos. Teníamos que ir por delante de la jugada. Abrimos cuentas en todas las redes y nos pusimos a hacer vídeos. Comprendimos inmediatamente que podíamos hacer vídeos realmente buenos. No tardamos en darnos cuenta de que se trataba de algo más que de filmar una función escénica. Y en cuanto nos percatamos hicimos más vídeos, cada vez dedicándoles más tiempo, subiéndolos regularmente y manteniendo alta la calidad. Nunca hemos mirado atrás.

Nuestros seguidores fueron aumentando de manera gradual durante unos tres años, y entonces se disparó el número. Fue como si dobláramos una esquina y quedó demostrado que habíamos tomado la decisión justa cuando combinamos las redes, los contactos y los seguidores.

Billy: Creo que como Los F2 siempre hemos procurado estar en el punto más alto del rendimiento y progreso deportivos. Como ya hemos dicho, empezamos como ejecutantes individuales y con el tiempo nos dimos cuenta de que todo lo que se había visto y habíamos hecho era individual. Nadie había hecho un espectáculo a dúo.

«¡ÉRAMOS SIN DISCUSIÓN EL DÚO DEL FREESTYLE!»

En 2012 ganamos el premio Nacional Británico del Espectáculo del Año y vimos que subían vídeos en YouTube con números de habilidad y para enseñar a los niños. Nos interesaba seguir ese camino y ver qué podía salir de ahí. No había fútbol en YouTube por entonces, que supiéramos en aquella época solo había un canal de fútbol.

Teníamos las proezas, teníamos el talento y gracias a YouTube es magnífico, porque subes un vídeo y pueden verlo en todo el mundo. Llegas a mucha gente y realmente la impresionas. A raíz del premio nos dijimos: «Estupendo, YouTube es el siguiente paso». Queríamos pasar de actuar individualmente a actuar como un dúo y luego ir a YouTube.

Ni por un momento pensamos que fuera tan grande como es ahora.

Jez: Mientras nos preparábamos para el certamen del Premio Nacional del Espectáculo, estudiamos a algunos de nuestros intérpretes favoritos, de todos los géneros, porque nosotros teníamos la técnica futbolística, pero queríamos trabajar la dimensión espectacular de nuestro número. En resumen, estudiamos a Michael Jackson, a Diversity y a un grupo estadounidense de danza que sale a escena con máscara y se llama Jabbawockeez. Creamos un número que combinaba lo mejor de las actuaciones de estos tres con

nuestras cabriolas futbolísticas. En menos de un año ya lo ejecutábamos estupendamente y nos llovieron contratos. Fue cuando nos nominaron para el Premio Nacional del Espectáculo del Año y lo ganamos. ¡Ya teníamos un título! Entonces pasamos a YouTube.

Billy: No tardamos en averiguar hasta qué punto se vuelve uno obsesivo con el tema de YouTube. Yo me obsesioné por las estadísticas y los datos. Lo primero que hacía por la mañana era entrar en Social Blade, un sitio web que mide las estadísticas de los medios sociales y las verifica: cuántas visitas habíamos tenido y todos los datos demográficos. Empezábamos a controlar cada vídeo a los 20 minutos de haberlo subido. Sabemos dónde esperamos que esté a los 20 minutos, luego al cabo de una hora, de dos horas, de tres horas y de toda la noche. Todo esto ha acabado por obsesionarme: cuántos «likes» tenemos, qué dice la gente en los comentarios, etcétera.

Subimos una gama de vídeos muy variada. Unos son de ensayo y error. Usamos este material para determinar qué filmamos y cómo lo filmamos. Etiquetas meta, palabras clave, todo eso determina la cantidad de visitas. Introducir las palabras y expresiones justas puede aumentar en 5 millones las visualizaciones de un vídeo. Dejo gran parte de este trabajo en manos de Jez. Yo me encargo del capítulo de la indumentaria Rascal y él dirige el capítulo de YouTube.

A los dos nos chifla. Es facilísimo exponer públicamente cualquier cosa que nos gusta y contactar con gente de todo el mundo. Es genial: salimos, hacemos los

vídeos, nos divertimos, Jeremy edita lo filmado y lo publicamos. ¡Y ahí quedan para siempre! Cuando nos retiremos y seamos viejos, nuestros hijos y nuestros nietos podrán ver en todo momento lo que hacíamos. Es como dejar algo en herencia. Una gran herencia, la verdad sea dicha.

Billy: Oye, Jez, ¿recuerdas cuándo subimos nuestro primer vídeo?

Jez: Claro que sí. Entonces no sabía mucho de edición, pero aprendí enseguida. El primer vídeo que edité fue de Billy. Me preguntó si podía trabajar con el vídeo de su boda. Compré un programa de edición y le di un buen repaso. El resultado me satisfizo: ¡sin duda, era el mejor vídeo nupcial que había visto en mi vida! Me di cuenta de que tenía mano para esto. Así

que quise subir nuestro primer vídeo cuanto antes.

Creo que el hecho de encargarme yo de la edición ha tenido un papel clave en Los F2. Creo que editando he llegado a ser por lo menos tan bueno como dándole a la pelota. Quizá mejor. Me han propuesto editar números de variedades, pero ¿por qué tendría que dedicarme a eso y renunciar a Los F2?

Así pues, esta faceta ha fortalecido aún más nuestra asociación. Es una combinación imparable. Tenemos todos los útiles que necesitamos. Demasiados cocineros estropean el caldo y nosotros creemos que es mejor que uno se encargue de un aspecto y el otro de otro, para no pisarnos. Pero nos consultamos. Las pequeñas decisiones las tomamos por nuestra cuenta, pero para tomar las grandes nos consultamos antes.

PASE INVERSO

FICHA INFORMATIVA

ORIGEN: ¡MANIOBRA NUEVA Y EXCLUSIVA!
INVENTADA POR BILLY WINGROVE, UK
TIPO DE MANIOBRA: PASE
NIVEL DE DIFICULTAD: 8
NIVEL TÉCNICO: 10
UTILIZADA FRECUENTEMENTE POR: BILLY WINGROVE

Billy: Esto que presentamos aquí es una exclusiva de Los F2. No encontrarás esta maniobra en ningún otro sitio. Yo lo llamo pase inverso. No suele verse en los partidos, pero seguro que cuando entrenes con los compañeros de equipo sabrán apreciarlo.

Levanta la pelota, gira apoyado en una pierna y dobla la otra. Cuando la pelota llega a la parte de atrás de la rodilla, estira la pierna con un latigazo y la pelota saldrá disparada hacia tu compañero.

¡Te animo a utilizar esta maniobra en un partido! ¡Verás qué efecto!

LEVANTA LA PELOTA

GIRA LA ESPALDA HACIA EL BALÓN Y AL COMPAÑERO

LEVANTA LA PIERNA, DOBLA LA RODILLA...

ENDEREZA LA PIERNA RÁPIDAMENTE, GOLPEANDO LA PELOTA CON LA PARTE TRASERA DE LA RODILLA

MÍRALA VOLAR HACIA TU COMPAÑERO

DOBLAR…

ESTIRAR…

¡Y A VOLAR!

GARETH
BALE

«SOLO CUANDO LO TRATAS DE CERCA TE DAS CUENTA DE LO COMPLETO QUE ES.»

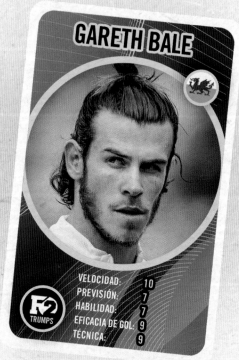

GARETH BALE

VELOCIDAD: 10
PREVISIÓN: 7
HABILIDAD: 7
EFICACIA DE GOL: 9
TÉCNICA: 9

F2 TRUMPS

Jez: Lo primero que destaca en este caballerete es el físico. Solo cuando lo tratas de cerca te das cuenta de lo completo que es. Es alto; no tiene ni un gramo de grasa. Es el deportista ideal.

Estuvo brillante con nosotros. Lo primero que dijo fue: «Chicos, yo no hago cabriolas». Pero estuvo francamente bien. Creo que incluso se sorprendió a sí mismo con algunas cosas que se le ocurrieron. Una vez que entró en juego, se puso a hacer toda clase de maniobras. Nadie lo ha observado nunca desde ese punto de vista. Fue un privilegio que fuéramos los que lo presentáramos al mundo bajo un aspecto que nadie había visto.

Billy: Unos jugadores tienen piernas veloces, otros tienen mente rápida. Lo que Gareth Bale demuestra de una vez para siempre es que si tienes las dos cosas, eres mortífero. Cuando está en racha es casi incontenible. ¿Cómo pararle los pies, amigos?

Jez: Es cierto: a los defensas les asusta la velocidad, se produzca donde se produzca. Y Bale mete el miedo en el cuerpo de sus oponentes. Se lanza derecho contra los defensas. Deja que se acerquen y entonces los arrolla.

Billy: Siempre tiene prisa: debutó como internacional a los dieciséis años. Pero todo empezó para él en el Tottenham…

Jez: Disculpa, chico. Creo que el Southampton podría tener algo que decir al respecto.

Billy: Está bien, está bien. Lo confieso, empezó con los Santos, que tienen el mérito de haberlo descubierto de pequeño y haberlo incorporado inmediatamente al equipo. Claro que sí. Pero admitirás que, en realidad, despegó en White Hart Lane. Adelantamos su posición en el campo y jugó en multitud de posiciones de defensa y ataque. Su juego creció de un modo fantástico e increíble.

«TAMBIÉN TIENE UNA GRAN FUERZA DE CABEZA. NO DEJA QUE LA PRESIÓN LO DESCONTROLE.»

Jez: Cuando lo conocimos para hacer el vídeo de prueba de Adidas X fue un privilegio enorme. Hicimos aquellos movimientos sincronizados… ¡para que luego digan que no estamos sometidos a presión! Cuando se puso a golpear la pelota sin que cayera al suelo nos dejó alucinados. Pensé que no iba a terminar nunca… ¡qué malabarista! Entonces, ¿qué momento destacarías de su temporada con el Tottenham?

Billy: Seguramente los tres goles que metió al Inter de Milán en la Liga de Campeones de 2010. Si un equipo pierde 4-0 al finalizar los primeros 45 minutos en el San Siro, ¿cuántos jugadores bajarán la cabeza? Él no la abatió. Metió tres goles en la segunda parte. La gente habla siempre de la primera parte, pero esa ni siquiera es la mitad de la historia. En la segunda parte hizo que Maicon, el lateral derecho del Inter, pareciera vulgar sin cometer ningún error, porque Maicon es de máxima categoría.

Jez: Bale es una ventaja para cualquier equipo en múltiples aspectos. Incluso en la liga española lo marcan a veces dos jugadores. Los equipos le tienen mucho miedo. Que Gareth acapare la atención de dos jugadores contrarios anima el juego de sus compañeros, que tienen más espacio para moverse. Él siempre parece tener una marcha extra y embraga sin esfuerzo. ¡Da vértigo mirarlo!

Billy: Los goles que mete de lejos son de locura; sus tiros curvos, sus tiros libres. O cuando llega a la línea de gol y marca empalmando un pase cruzado. Tiene el armario lleno de recursos. Incluso su aspecto parece el de una especie superior. Es un atleta de primera y muy potente al mismo tiempo. También tiene una gran fuerza de cabeza. Cuando espera para lanzar un tiro libre se prepara y se concentra. No deja que la presión lo descontrole.

Jez: No dices ninguna mentira. Micah Richards dijo que Bale «hacía que me sintiera como si no levantara un palmo del suelo». Harry Redknapp dijo que Bale está a la altura de Messi y Ronaldo y que conseguirá los máximos trofeos en España. Una recompensa justa para una vida de dedicación. Es genial que uno de los mejores jugadores del planeta sea británico.

Billy: Y que haya perfeccionado su arte en el poderoso Tottenham.

Jez: Ya está bien, Billy, ¿alguna disculpa por mencionar a tu equipo?

153

HISTORIAS SECRETAS

TOP SECRET

YA HABÉIS VISTO LOS VÍDEOS EN QUE SALIMOS CON MULTITUD DE ESTRELLAS DE LA GALAXIA DEL FÚTBOL. PERO ¿QUÉ OCURRÍA CUANDO LAS CÁMARAS NO FILMABAN? DESCÚBRELO AQUÍ. VAMOS A LLEVARTE ENTRE BASTIDORES PARA QUE CONOZCAS ALGUNAS HISTORIAS NO CONTADAS.

GARETH BALE

Billy: Presta atención porque estoy a punto de revelarte un secreto del repertorio de chismes de Los F2. ¿Sabes quién fue la primera persona a quien conoció Gareth Bale cuando fue traspasado del Southampton al Tottenham?

Jez: ¡Uf! Yo me rindo.

Billy: ¿No quieres una pista?

Jez: Bill, sabes perfectamente que sé la respuesta. ¿No podemos ir más aprisa?

Billy: Muy bien, ¡fui yo! Gareth y yo fuimos invitados a inaugurar una escuela en el norte de Londres en su primer día como jugador del Tottenham. Así que estuve presente en aquella pequeña porción de historia del Tottenham. Exactamente allí, entre todo aquello.

Jez: Precioso. Y seis o siete años después hicimos un vídeo con Gareth como Los F2. No estábamos seguros de que se acordara de Bill. Era ya una gran figura del Real Madrid y habían pasado muchas cosas durante aquellos años. ¡Pero se acordaba! Reconoció a Bill inmediatamente y se presentó en el plató enseguida.

Billy: Al final sostuvimos una larga charla sobre aquellos tiempos. Hablamos sobre dónde habíamos empezado y qué había sucedido desde entonces. Asombroso. Un tipo muy simpático.

Jez: Lo asombroso es lo lejos que habéis llegado los dos. Tengo que reconocéroslo.

DIEGO ARMANDO MARADONA

Jez: Y ahora viene la anécdota sobre un jugador al que estuve a punto de conocer. Como sabes, antes de fundar Los F2, participé en una película titulada *In the Hands of the Gods*, «En manos de los dioses». Al principio tenía que titularse *En busca de Diego*. Trataba de cinco *freestylers* británicos, yo entre ellos, que hacíamos exhibiciones para reunir el dinero suficiente para viajar a Buenos Aires y conocer a Maradona.

Billy: Si no has visto la película, os recomiendo que la busques. Es muy emocionante. Sin dinero para comer, alojarse o viajar, Jez y los otros cuatro hacen lo imposible para viajar de Londres a Buenos Aires recurriendo únicamente a sus habilidades futbolísticas y a su encanto. A menudo comen fatal y duermen peor.

Jez: Si, fue duro a veces. Pero fue real. El caso es que pasan muchas cosas y al final hay dos *freestylers* que no llegan a conocer a Diego.

Billy: Y ya pueden sonar los violines porque el pobre Jez fue uno de los que se lo perdieron.

Jez: Una pena. Pero ¿quién habría imaginado que gracias a Los F2 conocería a más profesionales y leyendas del fútbol? Es realmente asombroso.

LIONEL MESSI

Billy: Como ya has leído y seguramente visto, filmamos con Messi, pero ¿sabías que uno de nosotros ha sido Messi?

Jez: Esta sección corre peligro de convertirse en un concurso.

Billy: ¿Esa es tu respuesta definitiva? Hablando en serio, yo hice de doble del gran hombre en unos cuantos anuncios de televisión. Y Jez está de mal humor porque es un envidioso.

Jez: Qué risa. Supongo que esa experiencia figurará en los currículos que presentabas en otra época.

Billy: Los anuncios eran de Pepsi, de PES y de una compañía aérea turca. En el de la compañía aérea salimos «Messi» —o sea, yo— y Kobe Bryant haciendo cabriolas en un avión. Y desde aquí quiero transmitir un mensaje a Messi y decirle que si alguna vez quiere hacer de doble mío, me sentiré muy honrado.

Jez: Billy, creo que ahí te has pasado de la raya. Lo estás haciendo muy bien, pero deberías descansar un poco.

DAVID VILLA

Jez: Cuando trabajamos con profesionales de alto nivel tenemos ocasión de ver el amor y la pasión que sienten por el fútbol. Es un amor puro y no hay mejor ejemplo de lo que decimos que David Villa.

Billy: Cuando filmamos con David y Andrea Pirlo en verano de 2016, comprobamos que técnicamente eran insuperables. En serio, eran técnicos de una escala superior. Verlos jugar fue una gozada. Un privilegio increíble.

Jez: ¿Recuerdas cuando filmamos unos tiros libres con ellos? Se entusiasmaron como niños. Y el que más, David. Recuerdo que su agente tuvo que sacarlo del campo a la fuerza. Ya había entrenado con el equipo aquella mañana y tenía otros compromisos. Así que hubo que obligarlo a que parara.

Billy: Pero fue muy hermoso ver el amor y la pasión que sentía por el juego. Se ponía como loco cuando se veía en un campo de entrenamiento con un balón en los pies.

Jez: Creo que esa clase de entrega y determinación es lo que lo ha convertido en el máximo goleador del fútbol español, así como en el máximo goleador español de los Mundiales. Entrégate al máximo, desborda de pasión y verás cómo metes goles.

CRISTIANO RONALDO

Billy: Cuando Jez y yo tuvimos el honor de aparecer en la entrega del Balón de Oro de la FIFA en 2010, estábamos muy nerviosos. También estábamos un poco asustados. ¿Y quién no, si íbamos a actuar delante de algunos ídolos nuestros y de los mejores jugadores del mundo?

Jez: Hasta el día de hoy sigue siendo la mejor actuación de nuestra vida y durante los ensayos tuvimos que ponernos un traje. Luego estuvimos casi cinco horas de plantón en una sala de espera: hacía calor y nos sentíamos incómodos. ¡Imagínate nuestros nervios!

Billy: Además de la tensión resultante de saber que nos jugábamos mucho. Pero salimos al campo y nuestra actuación fue un éxito arrollador: de los mayores de nuestra historia profesional. Cuando volvimos a la tórrida sala de espera, estábamos embriagados. El polo opuesto de cómo nos habíamos sentido un rato antes. Y lo mejor no había llegado aún.

Jez: Diez minutos después llamaron a la puerta. Abrimos y en el umbral estaba el mismísimo Cristiano Ronaldo. ¡No dábamos crédito a nuestros ojos! Nos felicitó y nos dijo que nuestro número había sido magnífico.

Billy: Nos olvidamos inmediatamente del calor, de los trajes y del nerviosismo. Que alguien que está en la cima del fútbol te diga que has hecho una actuación fantástica es una sensación indescriptible. ¡Saltamos de alegría!

PELÉ

Jez: Cuando seamos abuelos, nos sentemos junto al fuego y repasemos lo que hemos conseguido, quiero creer que nos acordaremos de todo, por muy defectuosa que sea la memoria en la vejez. Una cosa que siempre recordaremos, pase lo que pase, es el día que conocimos a Pelé.

Billy: Qué honor conocer y entrevistar al mayor goleador de todos los tiempos.

Jez: Cuánta razón tienes. Marcó 1.281 goles en 1.363 partidos, y si eso no es técnica, no sé lo que será. Pero lo que descubrimos fue que, aunque era la máxima estrella del fútbol, no podía ser más humilde.

Billy: Decir que tenía los pies en el suelo no es hacer justicia a la modestia de este hombre. Solo el hecho de estar en su presencia era un honor. Vio vídeos de lo que

hacíamos y nos dijo: «Esto no es real. No es posible». Fue alucinante que una leyenda nos dijera una cosa así.

Jez: Por eso no olvidaremos nunca el haberlo conocido ni haber aprendido de sus experiencias y sabias palabras. Es curioso, pero cuando repasamos el vídeo advertimos que estábamos un poco apabullados. Estábamos como niños inquietos. ¡Pero es que se trataba de Pelé!

NEYMAR

Jez: Filmamos con este hombre mientras reuníamos material en España para el Pro Evolution Soccer (PES). Neymar tuvo que cumplir ciertas obligaciones mediáticas antes de aparecer, reunirse con nosotros y hacer el vídeo. Así que mientras Billy y yo preparábamos el campo y las cámaras, nos dijeron que no tardaría más de 10 minutos y luego nos indicaron por dónde llegaría.

Billy: Jez es un chico listo, ¿verdad? Supo que Neymar entraría en el campo por el ángulo de la banda y la línea de gol, así que me dijo que pusiera un balón allí. Para comprobar si lo veía y cómo reaccionaba.

Jez: Valió la pena todo este montaje. En cuanto pisó el césped, vio el balón e hizo un saque de esquina, tirando directamente a puerta… ¡Ni un solo bote! No nos lo podíamos creer. Pensamos que a lo mejor se ponía a dar golpes al balón con la rodilla o que nos lo pasaría a Billy o a mí. Pero no fue así. Pasó directamente al nivel superior.

Billy: Su técnica es realmente seria. ¡Fue un gran día!

F2 CAPÍTULO NUEVE

LA HISTORIA DE LOS F2:
VIVIENDO EL SUEÑO: LOS F2

Jez: Trabajar en Los F2 exige mucho esfuerzo. Las cosas no se hacen por arte de magia. No me malinterpretes: soy consciente de que tenemos los mejores empleos del mundo. Pero trabajamos incansablemente. No se acaba nunca. Trabajamos día y noche, todas las horas que podemos. Los medios sociales exigen una dedicación de 24 horas los 7 días de la semana. La gente supone con toda naturalidad que tenemos un gran equipo con nosotros. También yo lo supondría si lo viese desde el exterior. Pero nada más lejos de la realidad. Hasta hace muy poco lo hacíamos todo nosotros solos. Contratos, reuniones, el talento del día, edición de vídeos, mantenimiento de las redes sociales: un trabajo de dedicación total. Hace nada hemos firmado un acuerdo con una fantástica compañía de gestión llamada 10Ten Talent. Hacer que esta gente nos acompañe en nuestra andadura ha sido un gran acierto. Mark Upson nos ayuda con la filmación y la edición del material.

Billy: Mark (en el centro) nos tuiteó cuando tenía 13 años, preguntándonos si podía entrevistarnos para su canal de YouTube. Me encanta la gente que se esfuerza por hacerse un nombre, de modo que le dije que sí. Vino a una de nuestras filmaciones en el London Soccer Dome, nos conocimos e hicimos la entrevista.

Jez: Se notaba que era un mago con la cámara. Nos mantuvimos en contacto, venía a menudo y nos ayudaba con las filmaciones. Cuando dejó el instituto le ofrecimos un contrato para que trabajara a tiempo completo. Desde entonces ha sido parte integral del equipo y queremos ampliarlo aún más.

Billy: Es una locura hasta dónde hemos crecido. Tenemos un ejército de seguidores

«SOY CONSCIENTE DE QUE TENEMOS LOS MEJORES EMPLEOS DEL MUNDO. PERO TRABAJAMOS INCANSABLEMENTE.»

incondicionales. Ellos empezaron las páginas de admiradores de Los F2. Son personas de todos los rincones del mundo. Parecen saberlo todo sobre nuestra vida. Ponemos un «like» a un comentario en Instagram y siguen la pista de la gente a la que hemos distinguido. Es increíble que tengamos tanto apoyo.

Jez: Y eso fue antes de que nos dedicáramos a la ropa. Cuenta eso, Bill.

Billy: Todo empezó cuando nos pusimos a hacer actuaciones en vivo durante el invierno. Hacía tanto frío que nos poníamos pantalón de ejercicio. Pero no queríamos que las perneras quedaran colgando sobre los pies, así que diseñamos nuestra propia ropa. La gente empezó a hacer comentarios: «¿De dónde habéis sacado esos pantalones?» Decidimos que necesitábamos ser dueños exclusivos del diseño y patentamos una marca. Íbamos a llamarla «F2», pero quisimos que tuviera identidad propia. Queríamos que futbolistas y

famosos lucieran nuestra gama. Nos preguntamos: ¿se pondrían nuestra ropa si se llamara «F2»? ¡Claro que no! Así se nos ocurrió el nombre «Rascal» («bribón» en inglés).

Busqué a los mejores fabricantes de algodón del mundo y volé a Turquía, donde estuve una semana: no me fui hasta que encontré el mejor tejido. Una semana después hice el pedido. Luego tuvimos que registrar la marca, solicitar permisos y hacer los trámites necesarios para legalizar una empresa de confección.

Jez: Fue como publicitar tu invento en *Dragon's Den* (programa de TV para emprendedores). Bill, te daré todo el dinero que quieras por el 50 por ciento de la empresa. Hablando en serio, Billy tiene mucha cabeza comercial. Es un tipo brillante. Y trabaja duro.

Billy: Invertimos mucho dinero para ponerlo en marcha, pero lo recuperamos el primer día, así supimos que a la familia F2 le gustó

RASCAL

nuestros diseños. Hemos tenido un éxito tras otro. Desde entonces hemos ampliado la gama y hemos contratado personal. Había mucho trabajo por delante, pero había que hacerlo. Yo y Jez somos tan ambiciosos que cuando queremos algo y no sabemos cómo conseguirlo, investigamos y no paramos hasta que sabemos lo que estamos haciendo. Creo que por eso nos han salido tan bien las cosas: si algo no funcionaba, buscábamos la manera de que funcionara. Lo llevamos en la sangre. Por suerte para nosotros, ha pasado a ser nuestro estilo.

Empezamos con Google. Buscamos a los mejores fabricantes de ropa. Íbamos a tiendas, mirábamos las etiquetas, averiguábamos en qué país se habían confeccionado. Hacíamos preguntas en foros sociales.

Concerté un millón de reuniones e insistía o camelaba cuando era necesario. Tuve que estar seguro de que lo sabía todo sobre la ropa y la industria, para que no me estafaran luego. Fue una medida necesaria. Iba con maletas llenas de muestras y decía: «Imita esto con el mejor material que puedas conseguir». Una fábrica consiguió lo que queríamos y desde entonces hemos trabajado con ella.

Adentrarse en un mundo tan desconocido daba miedo, pero también era divertido. El fútbol ha sido parte de mi vida desde que era pequeño. Con la ropa me adentraba en un terreno del que no sabía nada. He aprendido mucho. Nuestro primer año estuvo a la altura del primer año de Hype. La diferencia es que ellos tenían 17 empleados y yo solo tenía una persona encargada de la atención al cliente. Así que aunque sea yo quien lo diga, nos ha ido estupendamente con Rascal.

Trabajamos mucho. Ya ni sé cuándo fue la última vez que vi la televisión. Vivimos y respiramos F2, además de YouTube y Rascal. Esa es nuestra vida, junto con nuestra familia.

Nos encanta, somos adictos a esta aventura. Sabemos que son los mejores años de nuestra vida, nuestro sueño hecho realidad.

Jez: Sin duda, es nuestro sueño… pero podría volverse una pesadilla. A veces creo que vamos demasiado lejos y que trabajamos demasiado.

Billy: Pasar el invierno es duro. El entrenamiento de los futbolistas comporta una actividad cardíaca. Su pulso se acelera, aunque están en movimiento y calientes. Somos parada y arranque. Tenemos períodos en que estamos quietos veinte minutos o más, en medio del frío, con pantalón corto y camiseta. Puede estar lloviendo o helando. La batalla más dura se produce cuando tenemos frío o estamos mojados y los músculos se nos han enfriado, y tenemos que hacer maniobras y jugadas. Es lo más difícil de todo.

Yo caí enfermo en cierta ocasión. Estuve cinco días en el hospital. ¡Pensé que me iba a morir! Los médicos se lo tomaron muy en serio. Me llevaron a urgencias. Había estado tiritando y sudando toda la noche. Katie, mi mujer, me llevó al hospital. Me hicieron pruebas y dijeron: «Señor, está usted muy mal». Había seis médicos esperándome y corrieron a hacerme un análisis de sangre.

Mi sistema inmunológico estaba tan flojo —había trabajado mucho y filmado a temperaturas muy bajas— que contraje una enfermedad vírica. No sabían lo que era. Era algo parecido al dengue, pero yo no había estado en los trópicos. En términos generales me sentía como si me estuvieran taladrando los huesos. Sufría mucho. Tenía la temperatura altísima; estaba completamente desorientado. Náuseas, fiebre. Todos los días me ponían seis inyecciones y me hacían tres análisis de sangre. Me tenían aislado en el hospital porque no sabían qué enfermedad era.

Estuve cuatro días, pero me encontré mal alrededor de nueve. Tenía el hígado en pésimo estado. Durante un tiempo corrí verdadero peligro. Tardé mucho en recuperarme. Fue una mala época. Pero saqué una enseñanza constructiva de aquella experiencia. En la actualidad, cuando despierto, pienso en el tiempo que pasé en el hospital con el gota a gota. Mi mujer me hizo una foto entonces; tenía un aspecto horrible; y me recuerdo a mí mismo cómo estaba para poder mejorar actualmente todo lo posible; para estar lo más en forma posible. En los momentos en que no me apetece ir al gimnasio recuerdo lo débil que estaba entonces. Y eso me da fuerzas para alejarme hasta donde pueda de aquella situación.

Así que ya no doy por sentada mi capacidad para salir a un campo y ponerme a jugar. Cuando estuve enfermo tuve que tomarme tres semanas libres. No se me permitió tocar un balón. Perdí seis kilos. De todos modos soy un tipo delgado. Fue durísimo. En cierto modo fue una potente llamada de atención. No me preocupan las minucias. Puede que se me rompa la pantalla

del teléfono, pero en términos generales son insignificancias. Somos afortunados.

Jez: No me gustó verlo, pero en el fondo no me sorprendió. Tuvimos un invierno muy activo, filmábamos a bajas temperaturas. ¿Quién más hace lo que nosotros? La gente que practica deportes de invierno lleva ropa adecuada para el invierno. Nosotros pasábamos horas al aire libre en pantalón corto y camiseta. La verdad es que nos congelábamos. También yo caí enfermo aquel año. Pero él lo pasó peor.

Billy: Valió la pena, sin embargo. Tenemos una vida estupenda y nunca debemos olvidar lo afortunados que somos.

Hemos viajado por el mundo y conocido a personas maravillosas. ¡Fíjate en todo eso! La actuación durante la ceremonia del Balón de Oro fue una experiencia alucinante. Hicimos historia: éramos los primeros *freestylers* que

«SABEMOS QUE SON LOS MEJORES AÑOS DE NUESTRA VIDA, NUESTRO SUEÑO HECHO REALIDAD.»

actuaban delante de las personalidades más importantes del fútbol.

Y nos han ocurrido muchas más cosas extraordinarias. Conocimos a Pelé. Nunca creí que fuera posible; compartir momentos con él fue fantástico. Actué en la ceremonia inaugural de los Mundiales de 2006, en la fiesta de la hinchada que se celebró en la Puerta de Brandenburgo de Berlín. Había millones de aficionados de todo el mundo.

Hemos filmado vídeos con algunos de los mejores futbolistas del mundo y están al tanto de nuestras proezas. Es cosa de marcianos pensar que leen lo que tuiteamos. Hace que nos detengamos a reflexionar sobre lo que tuiteamos, ¡de verdad! Nos siguen incluso algunos de One Direction.

Lo importante no es solo conocer a grandes personalidades. También nos gusta conocer a nuestros admiradores. En realidad, mido mi éxito por la cantidad de personas a quienes gusta lo que hacemos. Cuando los muchachos nos detienen para decirnos lo que significamos para ellos… es fascinante. El otro día entramos en un hotel y un muchacho nos reconoció. Lo saludé con la mano y se quedó petrificado. Se echó a llorar de tan emocionado como estaba. Eso es la medida del éxito. Llora porque nos ve. Lo entiendo así y me siento realizado por el impacto que producimos. Nunca pensé que llegaríamos a ese nivel. Me acuerdo de cuando empecé a conocer a mis héroes. Cuando conocí a Ronaldinho, todo mi cuerpo estaba fuera de control. Estaba muy emocionado. Y el chico con quien me crucé en el hotel estaba tan emocionado al verme como lo había estado yo al conocer a Ronaldinho. Esta situación hace que me dé cuenta de lo magnífico que es todo esto.

Jez: ¿Y sabes a qué se debe? A que se nos han ocurrido muchas cosas en este deporte que a nadie más se le habían ocurrido. ¡Y las hemos llevado a la práctica! Nos decimos: ¿no sería estupendo si…? Y vamos y lo hacemos. Es la primera diferencia fundamental entre nosotros y otras personas.

MANIOBRAS BÁSICAS:

AKKA DE F2

FICHA INFORMATIVA

ORIGEN: MANIOBRA NUEVA Y EXCLUSIVA
INVENTADA POR JEREMY LYNCH, UK

TIPO DE MANIOBRA: REGATE

NIVEL DE DIFICULTAD: 10

NIVEL TÉCNICO: 10

UTILIZADA FRECUENTEMENTE POR: J. LYNCH

Jez: No quiero mentirte, pero esta maniobra debiera llevar una advertencia: no la intentes a menos que seas cinturón negro en técnica. Es astuta y difícil, pero esa es precisamente la idea. Utilízala en un partido y espera la llegada de ofertas.

Echa atrás la pelota con la suela de la bota lo justo para impulsarla hacia arriba con la puntera, gira, deja que la pelota te rebote en la pantorrilla y lánzala a continuación más allá del defensor mientras lo rodes a toda velocidad por el otro lado.

Chicos, me encanta esta maniobra. La he inventado exclusivamente para que aparezca en este libro. Es cierto, no la verás en ningún otro sitio. Los defensores tampoco.

ACÉRCATE AL DEFENSOR

LEVANTA LA PELOTA

TÓCALA CON LA PANTORRILLA

LEVANTA EL PIE Y LANZA EL BALÓN DETRÁS DEL ADVERSARIO

RODEA AL DEFENSOR POR EL OTRO LADO

LEVANTA LA PELOTA...

GOLPEA CON LA PANTORRILLA...

PÉGALE ANTES DE QUE TOQUE EL SUELO

REBASA AL DEFENSOR

MAESTROS DE LA TÉCNICA:
RONALDINHO

«ERA MI HÉROE, ES MI HÉROE, SIEMPRE LO SERÁ. ES EL REY.»

RONALDINHO

VELOCIDAD: 8
PREVISIÓN: 9
HABILIDAD: 10
EFICACIA DE GOL: 8
TÉCNICA: 10

F2 TRUMPS

Billy: Conocer a Ronaldinho fue uno de los momentos más emocionantes de mi vida. Era un tipo increíble. Era mi héroe, es mi héroe, siempre lo será. Es el rey.

Tiene mucho afecto que ofrecer como persona. Me eché a llorar y me dio un abrazo. Lo vi tres años después porque iba a actuar en el descanso y, cuando me vio, me reconoció y me dio otro abrazo. ¡Me recordaba! Cuando lo conocí, recuerdo que llamé por teléfono a todo el mundo, daba saltos de alegría, temblaba. ¡Era un admirador al completo!

Jez: Nunca he visto tanto amor. ¡Ja, ja, ja!

Billy: No puedo evitarlo, colega. La cuestión es que se le llama el rey por un motivo justificado. No hay nadie más grande que Ronaldinho. Siempre juega sonriendo y con total libertad. Solo verlo es ya un regalo. No es un jugador negativo; nunca comete actos violentos ni hace entradas peligrosas. En 2006, cuando estaba en lo más alto, revolucionó el fútbol. Hacía cosas que nadie había imaginado o creído que fueran posibles.

Jez: Hoy se juega con más velocidad y a un nivel más alto, pero antes de que llegaran Messi, Neymar y Cristiano Ronaldo, allí estaba este hombre, el futbolista brasileño. Era un genio cargado de habilidades y tácticas pasmosas. Recuerdo que lo miraba ¡y es que era contagioso! Un talento único cuyos méritos quedaban demostrados por los trofeos que ganaba. Y ha ganado muchos y de todas clases como jugador. Ha jugado como atacante, como artillero central, como extremo y, naturalmente, como el clásico número diez.

Billy: Algunas habilidades de este hombre desafían las leyes de la física, te lo juro. Repasemos sus maniobras características, una por una. ¿Qué me dices de la «elástica»? Una maniobra de habilidad soberbia que desconcierta del todo al oponente, ¡pero hay que saber hacerla bien! Apartas el balón con el pie fuerte, con el exterior de la bota, e inmediatamente lo atraes con el interior, y todo con rapidez.

Jez: Ronaldinho sabía hacer esa maniobra porque alejaba tanto el balón del cuerpo que el otro pensaba que iba a ir por ahí. La elástica se ha venido haciendo durante decenios, pero él la ha convertido en característica suya.

Billy: Y lo genial es que la elástica es solo una de las muchas maniobras que sabía hacer. Sus regates eran de locura y sus chutes intratables, como sus fintas jugador por jugador. Y los pases que hacía sin siquiera mirar. Casi todos los entrenadores dicen a los jugadores una y otra vez: «No apartes los ojos del balón». Pero él no

«ÉL NO ERA DE LOS QUE SE CEÑÍAN A LAS NORMAS CUANDO LAS NORMAS NO LE ERAN ÚTILES.»

era de los que se ceñían a las normas cuando las normas no le eran útiles.

Jez: No era de los que hacían caso de las advertencias. Seguramente es el jugador más desinhibido que he visto en mi vida. El engaño es otra de mis maniobras favoritas. Se colocaba el balón detrás de la pierna con el otro pie y le daba la vuelta para cambiar de dirección inmediatamente. Una estratagema hipnotizadora, y muy astuta.

Billy: Daba la impresión de que inventaba maniobras cada vez que pisaba el césped. Pero lo que más recuerdo es su forma de escurrirse entre los defensores y su impresionante control de la pelota. ¿Te imaginas que fuera tan bueno jugando al póker como lo era en el fútbol? Te desplumaría, y en ningún momento sabrías qué iba a hacer a continuación. Era un embaucador de tomo y lomo. ¿Volveremos a ver a otro igual?

Jez: Puede que Neymar tenga muchas probabilidades de llegar al nivel que estableció Ronaldinho. Pero no deja de ser una incógnita.

Lo ganó todo. Los Mundiales de 2002 —procuraremos pasar por alto el indignante tiro libre que dejó a Inglaterra fuera de combate—, dos ligas españolas, la liga de Campeones. Y la lista no acaba aquí. También están los reconocimientos personales, como dos medallas de la FIFA al Jugador Mundial del Año y un guapo Balón de Oro.

Billy: Y lo más importante, que ganaba el afecto de la gente. Fuera cual fuese tu equipo favorito, te enamorabas de él. Incluso los hinchas del Real Madrid lo aplaudieron en una ocasión. El Barcelona ganó 3-0 en el Bernabéu y los hinchas del Madrid se levantaron para aplaudir su segundo gol de la noche. Rebasó a Ramos, entró peleando en el área y se la coló a Casillas con un tiro rasante.

Nani, el reciente triunfador de la Eurocopa, dijo que era el «mejor jugador de la historia». Eso son palabras mayores. Bueno, la verdad es que no se me ocurre ningún jugador que fuera mejor que él. Nos conquistó a todos, a todos los aficionados al fútbol. Si amas el fútbol, tienes que amar a Ronaldinho. Un mago del balón.

LAS 5 TÉCNICAS PRINCIPALES

A MENUDO NOS HAN HECHO PREGUNTAS SOBRE LOS JUGADORES CON QUIENES HEMOS FILMADO. LA GENTE QUIERE SABER QUIÉN ERA EL MEJOR HACIENDO MANIOBRAS CON LA PELOTA, QUIÉN ERA EL MÁS DIVERTIDO, QUIÉN IBA MEJOR VESTIDO, ETC., ETC. ASÍ QUE HEMOS HECHO UNA LISTA CON LAS CINCO TÉCNICAS PRINCIPALES Y DEBAJO DE CADA UNA HEMOS CLASIFICADO A LOS JUGADORES MÁS DESTACADOS EN ESA ESPECIALIDAD.

HABILIDADES Y TRUCOS
1. RONALDINHO
2. CRISTIANO RONALDO
3. NEYMAR
4. EDEN HAZARD
5. ZINEDINE ZIDANE

¿Por qué está Ronaldinho en primer lugar?

Billy: No es ningún secreto que soy un fan colosal de este jugador. Tenía la caja de herramientas completa: podía hacer con el balón cualquier cosa que le dijeses.

Jez: Disculpa, Bill, pero somos muchos los fans colosales de Ronaldinho. No eres tú solo. En cualquier caso, si buscas una figura de primera categoría que tenga un pie en el fútbol profesional y el otro en el estilo libre, entonces has dado con tu hombre. Desde el principio ha sido una combinación de los dos reinos.

Billy: Ronaldinho fue uno de los futbolistas modernos más impresionantes y a todo el mundo le gustaba verlo jugar, por esa caja de herramientas suya, que siempre estaba llena de trucos y maniobras. Supongo que lo que lo hacía especial es que hacía cosas inimaginables con la pelota y de un modo consecuente. La verdad es que hacía maniobras que parecían desafiar a la ciencia.

Jez: Ja, ja, había que compadecerse de quienes jugaban contra él. Como oponente, harás bien en aceptar por los silbidos que vas a pasar una tarde fatal frente a este mago de lo impredecible. Tenía que estar en el primer puesto de esta sección.

Billy: Y ahí está. Y yo en el primer puesto de su club de fans.

DISPARO

1. **STEVEN GERRARD**
2. **ZLATAN IBRAHIMOVIC**
3. **CRISTIANO RONALDO**
4. **GARETH BALE**
5. **DAVID VILLA**

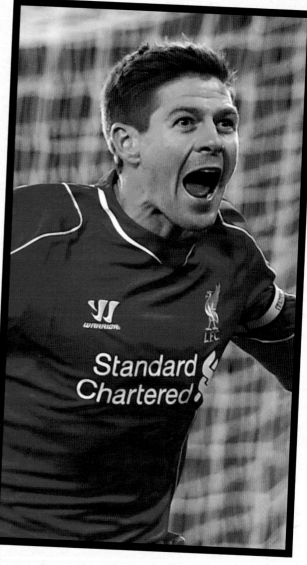

¿Por qué Gerrard?

Jez: Cierra los ojos y piensa en Steven Gerrard en su mejor momento. Ahora abre los ojos. Apuesto a que la mayoría evocáis esos magistrales golazos de lejos por los que es famoso.

Billy: Es que es en eso en lo que he pensado: ¡eres un telépata! Cuando filmamos con Stevie vimos que es fantástico lanzando esos balonazos. No mete goles por casualidad, lo consigue una y otra vez. Es realmente increíble su capacidad para generar energía y seguridad en cada chut. Es un maestro haciendo combinaciones ganadoras.

Jez: Ha marcado algunos de los goles más memorables de los últimos veinte años. Es una leyenda de la Premier. No importa cómo tire a puerta: curvo horizontal, volea, media volea, disparo con efecto aleatorio: todos son contundentes y seguros. Lo mires como lo mires, es un valor firme para un equipo.

Billy: Desde luego. Tienes a tus arietes y a tus laterales preparados para poner a prueba a los cinco defensores del rival, y cuando crees que lo tienes todo controlado te sale este tío del centro del campo. Y ¡qué futbolista! Es que le gusta castigar la pelota.

TOQUE

1. LIONEL MESSI
2. MESUT ÖZIL
3. NEYMAR
4. RIYAD MAHREZ
5. JUAN MATA

¿Por qué Messi?

Billy: Cuando lo has visto de cerca y lo has tratado en persona, entiendes que Messi esté en otro nivel. Y cuando te piden que filmes con Messi en el campo de entrenamiento del Barcelona, tardas muy poco en responder.

Jez: Bueno, es más o menos esto: ¿Que si queremos filmar con Messi en la Ciutat Esportiva Joan Gamper? Deja que lo piense… ¿y si decimos que sí?

Billy: Para ser sinceros, nos rompimos el culo para llegar cuanto antes. ¿Quién podría resistirse a una oportunidad así? Y cuando llegamos, percibimos de un modo nuevo esa gran habilidad que es propia de Messi.

Jez: Quiero decir que no es como si no supiéramos ya que tiene un toque diabólico. Aunque no te guste el fútbol, habras oído decir que es muy hábil con el balón. ¡Hasta las abuelas lo saben! En cualquier caso, y como ya comentamos, antes de filmar Messi tenía que hablar por teléfono.

Billy: Y mientras esperábamos a que terminara de hablar, Jez me dijo: «Bill, tírale un balón, a ver qué hace». Si lo hubiera pensado dos veces, no le habría hecho caso y no le habría lanzado el balón. Pero se lo lancé.

Jez: Ahora veámoslo desde el punto de vista de Messi. Está hablando tranquilamente por teléfono cuando de pronto le llega un pase inesperado. Tuvo que reaccionar en el último momento. Pero lo hizo con facilidad.

Billy: En efecto, lo paró en seco. Eso es talento natural, ser capaz de sacar en cualquier momento lo mejor que tiene uno, y sin avisar. Y por eso está en el primer puesto de nuestra liguilla del toque de balón.

BUEN HUMOR

1. **IAN WRIGHT**
2. **PIERRE-EMERICK AUBAMEYANG**
3. **MARCELO**
4. **DIEGO COSTA**
5. **MESUT ÖZIL**

¿Por qué Ian Wright?

Billy: Puede que los jóvenes conozcan a Wright únicamente por sus inteligentes comentarios en televisión, pero no hace falta haberlo visto jugar para saber que es un auténtico monstruo del buen humor.

Jez: Cuando tuvimos la suerte de pasar un día entero filmando con esta leyenda del Arsenal, nos reímos de principio a fin. Es un tipo muy divertido, siempre está a punto para contar un chiste o gastar una broma. Cuando estás un rato con él te contagia su alegría. Todo aquel que se comunica con él se pone de buen humor.

Billy: Nunca he conocido a nadie con un corazón mayor ni con más amor a la vida que él. Disfruta sintiéndose vivo y le encanta el fútbol en particular. Es como un niño grande en los mejores aspectos. No ha perdido el amor inocente por el fútbol que todos sentimos de pequeños.

Jez: Y, además, es un tipo realmente estupendo. A pesar de ser tan famoso y popular, tiene los pies en tierra, es un auténtico hombre del pueblo. Quienes juegan con él en el Arsenal no se cansan de contar maravillas de él. Dicen que es muy divertido y amable. Quienes lo conocemos no podemos sino estar de acuerdo.

Billy: Incluso ahora, cuando pienso en aquel día, oigo su risa espontánea en mi cabeza. Qué personaje tan admirable.

EL MÁS COOL

1. PAUL POGBA
2. ANDREA PIRLO
3. NEYMAR
4. PIERRE-EMERICK AUBAMEYANG
5. MESUT ÖZIL

¿Por qué Pogba?

Jez: Había más candidatos con muchas posibilidades para esta lista, pero fue Pogba quien consiguió llegar al primer puesto. No es solo el jugador más caro del fútbol, es también el más *cool*. Su capacidad para unificar música, estilo y fútbol con toda naturalidad es muy especial.

Billy: Puesto que está en cabeza, empecemos por su cabeza. Siempre tiene el pelo arreglado. Su ropa deportiva es impecable. En resumen, siempre tiene un aspecto limpio y elegante. Nunca lo verás por la calle desaseado. Cuando eres Paul Pogba no tienes días libres.

Jez: Es un tipo que rezume frescura, ¿verdad? Fíjate en su forma de saludar a sus compañeros. Él y los tipos como Eric Bailly saben mover las manos con auténtico arte. Pogba sabe guardar las distancias incluso en los medios sociales; comprueba la amistad que tiene con Zlatan.

Billy: También nos encanta su forma de bailar. Cuando mete un gol, lo celebra de tal modo que anima el juego tanto como sus disparos a puerta. Siempre acomete un *dab*, dentro y fuera del campo. Todo él respira desenvoltura y el resultado es el lote definitivo del hombre *cool*, 24h/7d. ¡Es casi tan genial como yo!

Jez: Sin palabras…

CAPÍTULO DIEZ

LA HISTORIA DE LOS F2:

LA PERFECCIÓN: LOS F2

Billy: Hemos aprendido mucho sobre cómo hacer las cosas en YouTube. Somos afortunados. Sería estupendo enseñar lo que hemos aprendido.

Jez: Totalmente de acuerdo. En realidad, se puede asimilar mucho mirando atentamente. El éxito deja pistas. Yo recomendaría estudiar a los mejores de YouTube y a los que más influyen en los medios sociales, y que busques cosas que han hecho bien. Creo que encontrar un hueco es importantísimo.

Todo consiste en entregarse y trabajar con ahínco. Quedarse levantados hasta tarde y levantarse temprano. Estar dispuestos a dedicar la vida al trabajo. Cada hora de filmación significa para mí tres o cuatro horas de trabajo de edición. Como mínimo. En una semana normal paso entre 16 y 25 horas editando imágenes. ¡Vale la pena!

La personalidad es importante. Que tu personalidad brille, para que la gente pueda relacionarse contigo y sienta que te conoce. Es la diferencia que hay entre un devoto de YouTube y una personalidad convencional de la tele. Los espectadores deben sentir que te conocen, que no hay barreras.

Billy: En los vídeos de estilo libre es muy importante que todo parezca hacerse sin esfuerzo. Es parte de la naturalidad, ¿no? Es estupendo hacer algo realmente difícil y presentarlo de modo que parezca fácil. Tiger Woods hizo eso en golf. Cuando haces, por ejemplo, la prueba del larguero, sabes si vais a darle en el momento mismo de pegarle al balón. Es instintivo.

Los chicos se entusiasman con todo esto de hacer maniobras y cabriolas y jugar con naturalidad. Nos mandan vídeos con lanzamientos al ángulo superior de la portería y se mueven con absoluta naturalidad. Es maravilloso que hayamos creado esto.

Acuérdate de aquel famoso gol que marcó Éric Cantona para el Manchester United, le dio un golpe suave al balón y se quedó allí tan tranquilo mientras el estadio se venía abajo.

«LOS ESPECTADORES DEBEN SENTIR QUE TE CONOCEN, QUE NO HAY BARRERAS.»

No sé cómo las personas que juegan realmente al fútbol pueden tener tanta sangre fría. Cuando yo juego en partidos, tengo que correr para celebrarlo. Por eso admiro a los jugadores como Balotelli, que marcan y no se mueven. ¡Ay, esa serenidad! No sé de dónde la sacan estando en un campo de fútbol.

La clave del *Freestyle* y de You Tube es pensar de un modo no convencional. Que el contenido sea original y la gente quiera verlo. Los dos creemos que el fútbol de estilo libre consiste en un 80 por ciento de práctica. El 20 por ciento restante es el espacio para la originalidad, para esa chispa imaginativa que hace especial el resultado.

También el humor es importante, en mi opinión. La gente ve nuestros vídeos de YouTube con dos fines: aprender y entretenerse. Estos dos ingredientes vitales son los que hacen que los vídeos de Los F2 sean lo que son.

Pero nada puede reemplazar la dedicación. Practicamos nuestros movimientos de estilo libre con insistencia y tenacidad.

Invertimos tiempo y paciencia en ellos practicando una y otra vez.

Jez: Y más veces todavía.

Billy: Y vuelta a empezar…

Jez: Y más veces. Al principio enfocábamos YouTube como si fuera un camino para llegar a la televisión mayoritaria. Pero con el tiempo hemos descubierto que tiene entidad propia y que nos interesa por sí mismo. Lo cual no impide que nos gustaran nuestras incursiones en televisión y que queramos hacer más.

Billy: En 2015 se puso en contacto con nosotros una empresa que quería hacer un programa para el canal London Live. Iba a llamarse *F2 Kicks Off*. Iríamos de gira realizando desafíos planteados por el público. Cada episodio debía ser sorprendente. Los desafíos vendrían de la mano de músicos como Lethal Bizzle, Wretch 32 y Tinchy Stryder, así como otros famosos.

«ENTRE LOS DOS HEMOS CONSEGUIDO OCHO MENCIONES EN EL LIBRO GUINNESS DE LOS RÉCORDS.»

Jez: London Live era un canal estupendo. La compañía nos llamó: «Queremos hablar con vosotros para hacer un programa de televisión. ¿Os interesa?»

Dijimos: «Claro que sí, adelante. Si sale algo de ahí, estupendo. Si no, no perdemos nada». Yo no esperaba que nos fueran a colocar todo un programa antes de hablar con nosotros personalmente.

Pero tenía clase, tíos. Era explorar la ciudad. Me encantó. Fue el programa de más éxito de toda la cadena, por abrumadora mayoría. Nos sentimos muy orgullosos. Llegamos a 300.000 televidentes, mientras que el programa que teníamos inmediatamente detrás no llegó a 100.000.

Billy: También nos dieron un espacio en Soccer AM, un programa que se emitía los sábados por la mañana en el canal Sky Sports. Una gran institución televisiva, sí señor. Lo veíamos desde que éramos pequeños. Nos dijeron que fue una de las partes más aplaudidas del programa.

Jez: Soccer AM fue importantísimo para nosotros porque éramos seguidores del programa desde que éramos niños. Fue magnífico que nos dieran aquella oportunidad. La gente todavía nos lo recuerda. Nuestro espacio fue realmente bien. Hace honor a nuestra política de hacerlo todo excelente.

Entre los dos hemos conseguido ocho menciones en el Libro Guinness de los récords. Las tenemos por méritos individuales y por méritos conjuntos como Los F2. Mi récord es «haber recorrido la máxima distancia con el balón en la cabeza». El de Bill es «haber recorrido la máxima distancia con el balón en la nuca y en movimiento». Tuvo que vernos un funcionario para que se supiera oficialmente si lo hacíamos o no. Yo tengo todos los diplomas en casa. Enmarcados. Algo fantástico. En 2011 me nombraron representante definitivo de Skill Skool de Soccer AM.

Billy: Son los trofeos equivalentes a las medallas que consiguen los futbolistas normales.

Jez: Pero yo creo que no estaba escrito que nuestro destino fuera jugar en la Premier ni en ninguna importante liga profesional. Estábamos hechos para lo que estamos haciendo ahora, Los F2. Ahora se ve muy claro, pero en el pasado era difícil. Cuando el Arsenal me dejó marchar me deprimí. No entendía por qué me ocurría aquello. No lo comprendía. Y entonces nos hicimos compañeros haciendo malabarismos. Nuestros caminos se cruzaron, nos llevábamos bien y terminamos haciendo espectáculos de dúo. Los dos en la misma onda, los dos congeniando estupendamente. Los dos con mente creativa, los dos compenetrados, los dos conocedores de los medios sociales. Además, estamos en sintonía con lo que entretiene a la gente, con lo que quiere ver.

Vivimos muy cerca, a menos de 30 minutos de distancia, así que desde el principio pudimos vernos con facilidad. Los dos estábamos deseosos de dedicarnos a esto. En resumen, es fantástico. Tenemos más o menos la misma edad, una estatura parecida, una constitución semejante. Muchos parámetros han ido mejorando. Esto funciona… eso funciona… aquello también. Incluso nuestras personalidades son complementarias. Era como tenía que ser y creo que es el destino personal.

Respetamos las opiniones del otro sobre cualquier cosa. Hemos alcanzado un punto en que si uno de los dos siente algo con fuerza, el otro lo aceptará, sea lo que sea. Es una buena forma de ser, premia la pasión. La gente debe expresar sus pasiones.

Billy: Jez es muy testarudo y resuelto, tiene mucho empuje. Yo soy más bien parte negociadora; él es más creativo. Yo pienso en

cómo progresar como empresa y a él se le ocurren espectáculos e ideas.

La rivalidad del norte de Londres no nos afecta en absoluto. Yo voy a los partidos del Tottenham, pago las entradas y me lo paso de miedo. Pero parece que el Arsenal siempre está por delante del Tottenham y a veces me toma el pelo. Nada, un par de pullas sin mala intención.

Nuestra idea de la vida es mucho más amplia. Somos personas decididas. Somos triunfadores. No nos gusta perder o fallar. No buscamos apaños, queremos lo mejor de lo mejor.

Jez: La rivalidad Arsenal/Tottenham nos afecta muy poco. No nos la tomamos en serio. Tenemos que trabajar juntos y si estuviéramos pinchándonos continuamente por culpa de nuestros equipos, la cosa no resultaría. Más allá de los encuentros locales no nos interesa. Sería tonto. ¿Por qué tendríamos que hacer hincapié en lo único que nos separa?

En el futuro queremos pasar a un plano más épico. Tengo en la cabeza planes y movimientos para el futuro. No somos ingenuos; sabemos que en la vida puede ocurrir de todo. Tenemos soluciones a las que recurrir por si se presentara alguna eventualidad. Yo soy entrenador, tengo la Licencia UEFA B, así que puedo entrenar en la cantera de cualquier club. Es el resultado de los cursos que hice. En realidad, debería decir que el año pasado hice un test de inteligencia y saqué 161. Fue un test de solución de problemas y el resultado no estuvo mal. Billy es el tipo más despierto que conozco. Nuestra unión ha contribuido decididamente a que seamos una fuerza futbolística en los medios sociales.

Billy: Sigue así, Jez…

Jez: Por el momento, todo es fantástico, así que nos dedicamos a mantener lo que tenemos. Nos hemos convertido en generadores futbolísticos de los medios sociales y en una gigantesca influencia global. Si hoy dan miedo los números que tenemos, imagina lo que será dentro de unos años. Apuntamos alto. Con esta perspectiva llega la oportunidad, la fuerza y mucha responsabilidad. Es nuestra pasión. Estamos construyendo algo que amamos.

Para nosotros es importante inspirar a los jóvenes para que alcancen sus metas, sean cuales sean. Tenga que ver con el estilo libre, con el deporte en general o con otra cosa.

Yo creo sinceramente que Bill y yo somos la prueba de que si os empeñáis en conseguir algo, sean cuales sean las circunstancias, haréis realidad vuestros sueños con práctica, determinación y fuerza de voluntad.

Queremos llegar a 100 millones. Mientras digo esto, tenemos 10 millones de seguidores. De modo que es un gran objetivo. Creemos que podemos conseguirlo. No apuestes contra nosotros. También queremos sentar un buen ejemplo para los jóvenes. Queremos hacer felices a nuestros admiradores y enseñarles a ser épicos. Porque nada de esto habría sido posible sin ti. Así que muchas gracias por acompañarnos en esta increíble aventura.

Billy: Hago mías tus palabras. En el futuro sucederán cosas cada vez más importantes y queremos que todos participéis. Gracias por ser parte de la familia F2: no lo habríamos conseguido sin vosotros.

Así pues, hemos llegado al final de la historia… por el momento. Pasemos entonces al siguiente capítulo y hasta entonces… amor, paz y técnica.

EL TIRO CURVO

FICHA INFORMATIVA

ORIGEN: DESCONOCIDO
TIPO DE MANIOBRA: DISPARO
NIVEL DE DIFICULTAD: 8
NIVEL TÉCNICO: 9
UTILIZADA FRECUENTEMENTE POR: LIONEL
MESSI, DAVID BECKHAM, ANDREA PIRLO

Jez: Esto es el tiro curvo. Al estilo de Lionel Messi. Mirad cómo el maestro argentino lanza los tiros libres. La fuerza curva que imprime a sus disparos es de otro mundo. Y siempre contra el ángulo superior. Pero ¿cómo lo consigue?

El truco está en empezar a correr de lado. Hay que dar el puntapié con la parte interior del empeine y luego de pasar toda la pierna volver a caer de pie con esa misma pierna, Eso le imprime más fuerza.

Cuanto más se practica esta maniobra, más fácil resulta. Y cuando tu equipo consiga un tiro libre en el último minuto del partido, adivina quién va a estar más que preparado para sacar la falta…

ACÉRCATE AL BALÓN DE LADO

GOLPEA CON EL INTERIOR DEL EMPEINE

ADELANTA LA PIERNA DEL GOLPE Y
APÓYALA ANTES QUE LA OTRA

DE LADO

EMPEINE

CONTINÚA EL MOVIMIENTO

ESTO ES...

...EL TIRO CURVO

MAESTROS DE LA TÉCNICA:

PELÉ

«¡SU CAJA DE TRUCOS ESTABA TAN LLENA QUE EXPLOTABA!»

PELÉ

VELOCIDAD:	9
PREVISIÓN:	8
HABILIDAD:	8
EFICACIA DE GOL:	10
TÉCNICA:	7

F2 TRUMPS

Jez: Es el momento de hablar un poco de la técnica de la vieja escuela. No creo que encontremos mejor ejemplo que Pelé, ¿no te parece? Definió el fútbol durante más de tres decenios: los cincuenta, los sesenta y los setenta. Su récord de goles habla por sí mismo.

Billy: Indudablemente. Es el papi de toda la historia del fútbol. Si quieres hablar de clase en el deporte, de clase pura, entonces tienes que tenerlo como referencia. Tienes que volver a él una y otra vez. Y no solo tenía clase; es que, además, ganó la chatarra que lo demuestra.

Jez: ¿Tres copas mundiales? Tres, nada menos. Dos más que Inglaterra. Jugó en 1.367 partidos y marcó 1.283 goles. Llegó a marcar ocho en un solo partido. ¿Cómo se puede ser tan bueno?

Billy: De niño ni siquiera tuvo balón. Allá en Brasil, la gente era pobre en el medio en que se crio, así que cogió un calcetín, lo llenó con trapos y le estuvo dando patadas hasta que aprendió el oficio. A los 15 años ya era profesional en el Santos de São Paulo y a los 17 era campeón del mundo. ¿No te subes por las paredes?

Jez: ¿Qué haría a este hombre tan especial?

Billy: ¡Su caja de trucos estaba tan llena que explotaba! Me encanta su forma humorística de jugar. Cuando un compañero le pasaba el balón, hacía a sus rivales las mejores fintas que puedas imaginar: fingía que avanzaba con el balón, pero lo dejaba atrás, rodeaba a su oponente y seguía el juego.

«PREPARAOS, RESPETAD A VUESTROS CONTRARIOS Y NO PENSÉIS NUNCA QUE SOIS LOS MEJORES.»

Jez: ¡Ja, ja! ¡En la portería nos veremos!

Billy: Cuando tienes poco tiempo y poco espacio, esa maniobra abre el juego. Pero es más difícil de lo que parece. Para hacerla tienes que ser de una clase especial.

Jez: Y Pelé es de una clase absolutamente especial. Colega, ¿estábamos muy nerviosos cuando lo conocimos? Yo me sentía como cuando nos llevaban al director del colegio o algo así.

Billy: Y allí estábamos nosotros, contándole cómo hacíamos nuestros vídeos, ¡y él va y dice que quiere salir en uno!

Jez: Nunca olvidaremos el día que lo conocimos. Y todo el que quiera ser profesional debería oír las palabras que dijo aquel día: «Preparaos, respetad a vuestros contrarios y no penséis nunca que sois los mejores».

Billy: Sabio consejo, aunque en este caso, él es el mejor. Vamos, que tenía que estar en lo más alto. Vio nuestros vídeos, se volvió y nos dijo: «Esto no puede ser real». Fue el mejor cumplido de todos los tiempos, ¿verdad? Que Pelé te diga que tu talento futbolístico no puede ser real. Es decir, haber llegado a una fase así.

Jez: Digámoslo otra vez y en voz alta: ¡conocimos a Pelé!

Billy: ¡Conocimos a Pelé en persona!

Jez: ¡Y le gustamos! ¡Gustamos a Pelé! Si por algo ha valido todo nuestro trabajo y dedicación, es por esto. El hombre es una leyenda. ¿Sabías que el portero de los Corinthians que estaba entre los palos cuando Pelé marcó su primer gol inscribió este hecho en sus tarjetas comerciales? Grabó en ellas que él fue el portero al que Pelé metió su primer gol.

Billy: ¡Ja, ja! ¡Qué tío!

AMIGOS DE LOS F2

@_ITSJJ
@19TMB
@22DEMARAI
@433
@ADAMWAITHE
@ADAMWOODYAT
@ADIDASUK
@ADLENEGUEDIOURA
@ALIA
@ANESONGIB
@AUBAMEYANG7
@BARCLAYBEALES
@BATESON87
@BEHZINGA
@BIG_BLACKS
@BLINDDALEY
@BRAD_SMITH94
@BRODIESMITH21
@CALFREEZY
@CALLUX
@CALUMBEST
@CAPGUNTOM
@CASTRO1021
@CHARLIEJONES
@CHARLIESLOTH
@CHRISGUNTER16
@CHRISMD10
@COMEDYGAMER
@CONNORNIGEL
@CRAIGDAVID
@DALLAGLIO8
@DANNYCIPRIANI
@DANNYO
@DAVIDVILLA
@DEJANLOVREN_6
@DELE_ALLI
@DJTARGET
@DOMSOLANKE
@DREAMTEAMFC

@DUDEPERFECT
@DWIGHTGAYLE
@EDERLOPESOFICIAL
@FANTASYHACHI
@FREEKICKERZ
@FRIMPONGED10
@FUCHS_OFFICIAL
@FUCHSOFFICIAL
@GLENNHODDLE
@GONTH93
@GUAJE7VILLA
@GYASINHO
@HARRYWINKS
@HAZARDEDEN_10
@HDGOMES
@HUGHWIZZY
@IAM_OBJXIII
@IANWRIGHT0
@INDICOWIE
@ITSJAKEMITCHELL
@JACK_MAYNARD23
@JACKJONESTV
@JAKEBOYS
@JAKEJMITCHELL
@JAKESIMS
@JAMALEDWARDS
@JAMIEOLIVER
@JASPERCILLESSEN
@JAYRODRIGUEZ_9
@JBUTLAND_
@JENNA_MARBLES
@JIMMYBULLARD
@JIMMYCONRAD
@JJENAS8
@JMXFIFA
@JOE_WELLER_
@JUANMATA8
@KICK
@KOKE6
@KSCHMEICHEL1

@KSI
@LEETRUNDLE10
@LEWIS_NEAL24
@LEWISBLOOR1
@LOUIS_TOMLINSON
@LOUIST91
@LUKASZFABIANSKI
@M10_OFFICIAL
@MANNY_OFFICIAL
@MARCUSBUTLER
@MATTHDGAMER
@MELISSAJOANHART
@MENINBLAZERS
@MICHAILANTONIO
@MINIMINTER
@MRDAVIDHAYE
@MRGEORGEBENSON
@NC22BACK
@NCHADLI
@NEPENTHEZ
@NEWHOPEREECE
@NEWYORKREDBULLS
@NIALLOFFICIAL
@NYCFC
@OAKELFISH
@OBJ_3
@OFFICIALMGH
@OFFICIALWRETCH32
@OMGITSALIA
@PHILLJONES4
@PRODIRECTSOCCER
@REALAKINFENWA
@REALDENISEWELCH
@REECEOXFORD_
@RICKYRAYMENT
@ROBBIEKEANE
@ROS5IHD
@ROSSBARKLEY
@RUDIMENTALUK
@SAMBAILEYREAL
@SAMKINGFTW

@SAMPEPPER
@SCHMELLE_29
@SEANFREESTYLE
@SEUNGWOOLEE
@SKILLTWINS
@SKYSPORTSALEXH
@SMITHYSOCCERAM
@SOCCERAM
@SPENFC
@STARTERBLKLABEL
@STEVENCAULKER4
@STEVENGERRARD
@SWP29
@SYLVIANDISTIN
@THEHUNNABAND
@THELEANMACHINE-
SOFFICIAL
@THEOFFICIALAC3
@THEOWALCOTT
@THEREALBWP
@THEREEVHD
@TIMHOW1
@TOBJIZZLE
@TOMKINSOFFICIAL
@TOUZANITV
@TSBIBLE
@TUBESSOCCERAM
@TWOSYNCOFFICIAL
@TYBRACEY
@WES5L1NK
@WHISTLESPORTS
@WILFRIEDZAHA
@WILLIANBORGES88
@WRETCH32
@WRIGHTYOFFICIAL
@WROETOSHAW
@YANNICKBOLASIE
@YIANNIMIZE
@YOUTUBE
@ZERKAAHD

Los mejores profesionales planean sus ejercicios para vencer sus puntos débiles. Observa tus pasos hacia el superestrellato.

Sombrea las casillas que indiquen las horas practicadas

MANIOBRA	PRINCIPIANTE 2 horas	AFICIONADO 4 horas	EXPERTO 6 horas
PASE SIN MIRAR			
GIRO ELECTRIZANTE			
LA FINTA DE LYNCH			
TÉCNICA DEL TOQUE NEYMAR			
LA RABONA			
WINGROVE-CRUYFF			

PROFESIONAL 8 horas	SUPERESTRELLA 10 horas	ADJUNTAR FOTO
		📷
		📷
		📷
		📷
		📷
		📷

DIARIO PARA PRACTICAR TÉCNICAS

Los mejores profesionales planean sus ejercicios para vencer sus puntos débiles. Observa tus pasos hacia el superestrellato.

Sombrea las casillas que indiquen las horas practicadas

MANIOBRA	PRINCIPIANTE 2 horas	AFICIONADO 4 horas	EXPERTO 6 horas
EL KNUCKLEBALL DE RONALDO			
PASE INVERSO			
AKKA DE F2			
EL TIRO CURVO			
TU MANIOBRA			
TU MANIOBRA			

PROFESIONAL 8 horas			SUPERESTRELLA 10 horas			ADJUNTAR FOTO
						📷
						📷
						📷
						📷
						📷
						📷

Y esto es todo. Esperamos que os lo hayáis pasado en grande leyendo nuestro libro. Para nosotros ha sido como subir a la montaña rusa, desde que empezamos en la cantera de la Premier hasta llegar a ser estrellas del estilo libre en YouTube. Hemos disfrutado contando nuestra historia.

Ahora estamos en el «tiempo de descuento» y nos gustaría transmitir un último mensaje, un mensaje crucial, amigos. Si quieres abrirte camino en el *freestyle*, en el fútbol tradicional o en cualquier otro deporte, lo importante es la práctica.

Practica, practica y luego practica un poco más. Sé modesto y pásalo bien.

Amor, paz y técnica, Los F2.

AGRADECIMIENTOS

Billy: Gracias a toda mi familia, porque siempre ha estado ahí para respaldarme. Mi familia lo es todo para mí: Katie, que me ha apoyado desde el principio mismo de mi profesión; Amelie, con su habilidad de superbailarina, que piensa que su papá es mejor que Lionel Messi; y el pequeño Roman, que ya da indicios de conocer algunas grandes técnicas futbolísticas.

Por último quisiera dar las gracias a todos los miembros de la familia Wingrove. Como podéis ver en la foto de la izquierda, son demasiados para nombrarlos a todos, pero han estado conmigo a las duras y a las maduras, apoyándome en todas las etapas del camino. No podía haber tenido una familia mejor.

Gracias, os quiero a todos x

Jez: Quiero aprovechar esta oportunidad para dar las gracias a mi familia por haberme orientado en cada etapa de este increíble viaje. A ti, papá, por las incontables horas que pasaste conmigo en el parque cuando yo era pequeño; a ti, mamá, por tu amor y apoyo imperecederos; y a los dos por creer siempre en mí, en los buenos y malos momentos.

Gracias a mi hermano Christopher por ser mi mejor amigo; y a mis dos hermanas, Charlotte y Cara, por aguantar a su hermano mayor todos estos años.

Gracias a todos por estar siempre ahí x

Billy y Jez: También nos gustaría expresar un multitudinario agradecimiento a nuestro maravilloso equipo de 10Ten Talent, sobre todo a Terry Byrne, Louie Evans, Tom Caplan y Luke Aldridge. Son parte fundamental de la Familia de Los F2 y nos encanta tenerlos con nosotros en esta increíble y superemocionante aventura.

Nuestras más efusivas gracias al personal de Blink Publishing, concretamente a los editores Joel Simons y Matt Phillips; a los diseñadores Steve Leard y Nathan Balsom; a Chas Newkey-Burden y Joanna de Vries; y sin olvidar a Ben Dunn, Lisa Hoare, Lizzie Dorney-Kingdom, Beth Eynon y Michelle Tilley. Estamos muy orgullosos de este libro, en el que todas estas personas han participado de un modo u otro. Por último, nuestra eterna gratitud a Jonathan Marks y su personal de MTC por relacionarnos con el equipo de nuestros sueños.

Un cordial saludo igualmente a todas las marcas y a todos los equipos de las agencias que han optado por trabajar con Los F2. Sin ellos no habríamos podido crear los magníficos e innovadores vídeos que han roto fronteras y siguen entusiasmando a nuestro maravilloso público. Nos encanta ser embajadores de Adidas y mandamos un saludo especial a Ben Goldhagen y a su equipo, por haber sido entusiastas nuestros desde el principio.

Por último, queremos dar las más efusivas gracias a todos los jugadores que han participado en tantísimos vídeos nuestros. Su ejemplo ha sido un acicate para ser mejores cada día, y agradecemos sinceramente que nos dedicaran su tiempo y su trabajo para satisfacción y alegría de la Familia de Los F2.

DERECHOS FOTOGRÁFICOS

Todas las imágenes son gentileza de Los F2,
excepto las siguientes:

Dan Rouse:
pp. 6-7, 10, 11, 12-13, 20-21, 22-23, 30, 38-39,
40-41, 48-49, 56-57, 58-59, 68-69, 72-73, 75,
76-77, 84-85, 87, 92-93, 94-95, 102-103, 105,
108, 110-111, 112-113, 120-121, 123, 124-125,
127, 128-129, 130-131, 142-143, 144, 146-147,
148-149, 163, 166-167, 168-169, 170-171, 174,
182-183, 186-187, 190-191, 192-193

John Davis:
pp. 6-7, 71, 88, 138-139, 145, 158, 162, 197,
204-205

Ben Duffy:
pp. 6-7, 37, 74, 90-91, 109, 126, 160-161, 185

Getty Images:
pp. 24, 25, 26, 42, 43, 44, 61, 63, 78, 79, 80, 81,
96, 97, 98, 115, 117, 132, 133, 134, 151, 152,
173, 177, 178, 179, 180, 181, 194, 195, 196